W9-BAS-523

COLLECTION
FOLIO CLASSIQUE

Corneille

Le Cid

Tragi-Comédie
1637

Édition présentée, établie et annotée
par Jean Serroy

Professeur à l'Université Stendhal de Grenoble

Gallimard

© Éditions Gallimard, 1993.

PRÉFACE

Le Cid, *oui. Mais lequel ? Ce n'est pas le moindre paradoxe, en effet, de cette pièce que tout le monde connaît et qui figure au panthéon incontesté du théâtre, en France comme dans le monde entier, qu'elle soit en fait une pièce problématique, chargée d'ombres et de mystères, et sur laquelle a pesé, dès la Querelle qui en a accompagné la création, le poids de la controverse, voire de la suspicion. Et il n'est pas sûr que ce* Cid *si connu et reconnu l'ait toujours été, et continue à l'être, de façon univoque, cohérente, assurée. Car il n'y a pas qu'un* Cid, *mais deux au moins, et peut-être même, à y regarder de près, davantage encore... Ce qui ne veut pas dire seulement, comme c'est le cas pour toutes les grandes œuvres, que la pièce est susceptible de multiples lectures, mais ce qui signifie plus radicalement que le texte lui-même est multiple : Corneille a bel et bien écrit au moins deux versions du* Cid. *Et la difficulté vient du fait qu'il n'a pas écrit dans les deux cas exactement la même pièce. D'où non seulement des difficultés d'interprétation, au sens littéraire comme au sens dramaturgique, mais aussi bien des malentendus : on n'est jamais sûr, quand on parle du* Cid, *de parler du bon ! Aussi importe-t-il de fixer les conditions de composition de la pièce, et d'en analyser les développements : avant de lire le texte, savoir quel il est et d'où il vient.*

Le Cid et le théâtre des années 1630

En 1637, Pierre Corneille a trente et un ans. Originaire de Rouen, où il est né le 6 juin 1606 dans une famille de la bourgeoisie de robe, il a reçu, au collège des jésuites de la ville, l'éducation solide et rigoureuse caractéristique de son milieu, qui l'a engagé vers des études de droit ; celles-ci le destinent à exercer une de ces charges qui, grâce à la vénalité des offices, consacrent l'irrésistible montée de la catégorie sociale à laquelle il appartient. En 1628, son père lui achète deux de ces offices, modestes encore mais prometteurs, d'avocat aux Eaux et Forêts et à l'Amirauté de France. Or, en 1629, l'avocat qui vient tout juste, en février, d'entrer en fonction donne à une troupe de comédiens de passage à Rouen une comédie de son invention, Mélite. *La troupe, qui est dirigée par Charles Lenoir et qui compte dans ses rangs le célèbre Mondory, représente la pièce à Paris durant l'hiver 1629-1630 et le succès que celle-ci remporte lance aussitôt la carrière du nouvel auteur dramatique. Une question, évidemment, se pose, qui est de savoir pourquoi un jeune bourgeois, qui, au demeurant, restera toute sa* vie attaché à son milieu et aux charges qu'il y exerce, peut se trouver ainsi attiré par le théâtre, ce domaine si manifestement éloigné des préoccupations du monde auquel il appartient. Sans doute la première réponse est-elle à chercher dans l'enseignement des jésuites, chez lesquels le théâtre tient une place importante, et pas seulement à travers les pièces de collège qu'ils suscitent dans leurs établissements, mais pour la valeur pédagogique et même morale qu'ils attachent à la représentation, au grand jour de la scène, des ressorts cachés du cœur humain. C'est au contact de ces professeurs que Corneille découvre le théâtre et la versification. Mais plus encore, dans la querelle de la moralité du théâtre qui agite tout le siècle, et à laquelle un chrétien fervent comme lui ne peut pas ne pas être tout particulièrement sensible, la leçon de tolérance, agrémentée de toutes les ressources de la casuistique, de ses maîtres jésuites sera toujours pour l'auteur dramatique qu'il va devenir à la fois une caution et même un encouragement. Le théâtre, loin du rigorisme janséniste qui le condamne, peut être, Corneille en est persuadé, un facteur d'élévation morale et même spirituelle : Polyeucte en fera foi.

Encore faut-il que ce théâtre soit à la hauteur des ambitions dont le jeune écrivain le croit capable. Or, au début des années 1630, la scène théâtrale est encore largement occupée par des acteurs et par des genres qui ne correspondent en rien aux aspirations élevées que nourrissent Corneille et ceux de sa génération. La décennie des années 1620 a été marquée par le triomphe du célèbre trio de farceurs, Turlupin, Gros-Guillaume et Gaultier-Garguille, accompagnés de quelques compères de même acabit, Tabarin ou Bruscambille, dont le répertoire donne dans la grossièreté la plus extrême et les effets les plus gros. Rien qui puisse attirer un autre public que celui qui fréquente ces lieux de perdition où se joue la comédie — jeux de paume et places publiques, puisque Paris ne compte alors qu'un seul théâtre installé, à l'Hôtel de Bourgogne : à savoir populace, soldatesque, prostituées, coupeurs de bourses et autres traîne-misère. Et la scène tragique elle-même, laissant libre cours aux outrances de la tragédie irrégulière et de la tragi-comédie telles que les pratique un Alexandre Hardy, grand amateur de sujets atroces, de style hyperbolique et d'effets spectaculaires mettant la violence de l'action sous les yeux mêmes des spectateurs, est peu faite pour séduire les esprits délicats.

Or, au tout début des années 30, les choses changent : une nouvelle génération d'écrivains apparaît qui, bénéficiant de facteurs propices, va imposer une autre approche du théâtre. Les conditions leur sont en effet favorables : le goût manifesté par Richelieu pour le théâtre, et l'idée qu'il se fait de ce que l'on appellerait aujourd'hui une politique culturelle, rejoignent et encouragent l'engouement d'un public de plus en plus large, et notamment du public mondain, et des femmes en particulier. L'arrivée à Paris d'une seconde troupe fixe, celle précisément de Lenoir et Mondory à qui Corneille a confié Mélite, et son installation au jeu de paume du Marais en 1634, créent une émulation bénéfique avec les grands comé-

diens de l'Hôtel de Bourgogne, d'autant que cette troupe apparaît plus moderne, dans son jeu comme dans son répertoire. Et la mort, dans les années 1633-1637, du célèbre trio de farceurs sonne le glas d'une époque. Encouragés par Richelieu, patronnés par de grands seigneurs qui les prennent sous leur protection, les auteurs peuvent offrir à un nouveau public des pièces qui correspondent à un goût qui a lui-même évolué. La comédie, comme Mélite *en montre la voie, se purge de toute grossièreté et tend à devenir tableau de mœurs et de caractères ; quant à la scène tragique, elle rompt progressivement avec une esthétique de l'effet et du spectaculaire pour imposer une intériorisation du drame. Le théâtre répond ainsi aux aspirations d'une société plus policée, qui s'enflamme vite pour ce divertissement de choix qui lui renvoie un miroir flatteur de ses préoccupations. En 1636, quelques mois avant* Le Cid, *Corneille enregistre, dans la dernière scène de* L'Illusion comique, *cette évolution en profondeur d'un monde théâtral passé en quelques années de l'opprobre à l'engouement général :*

(...) à présent le Théâtre
Est en un point si haut que chacun l'idolâtre,
Et ce que votre temps voyait avec mépris
Est aujourd'hui l'amour de tous les bons esprits,
L'entretien de Paris, le souhait des Provinces,
Le divertissement le plus doux de nos Princes,
Les délices du peuple, et le plaisir des grands.

(*L'Illusion comique*, v. 1781-1787.)

Ce renouveau de la scène passe par une réflexion sur l'écriture dramatique elle-même. Ce qui a en effet caractérisé les pièces écrites et jouées depuis le début du siècle, c'est leur totale irrégularité. Le mélange des tons, le désordre des structures dramatiques, l'invraisemblance érigée en système, ont engendré des œuvres mêlées, jouant des effets les plus gros et faisant de l'excès la norme. Dans ces conditions, il n'est guère étonnant que l'essentiel de la réforme du théâtre se cristallise sur le problème des règles qu'on entend fixer aux pièces nouvelles. Tout autant que d'un retour théorique aux principes définis par les maîtres antiques, Aristote et Horace, il s'agit d'une préoccupation toute pratique pour favoriser le développement d'un théâtre à qui l'on donne en quelque sorte des garde-fous et des règles du jeu. Si les principes de vraisemblance et de bienséance se conçoivent tout naturellement pour enrayer les outrances et les débordements dont on ne veut plus, les fameuses règles des unités, sur lesquelles l'attention se polarise, sont conçues au départ pour favoriser la dramaturgie : fixer le temps, l'action, et plus encore le lieu, c'est permettre de trouver, dans les cadres de la pièce écrite, la possibilité d'une représentation cohérente que l'éclatement des pièces irrégulières ne facilitait guère.

Lorsque Corneille commence à écrire pour le théâtre, en 1629, la question des règles ne le préoccupe guère : « Cette pièce, écrit-il de Mélite *dans l'*Examen *qu'il lui consacre en 1660, fut mon coup d'essai, et elle n'a garde d'être dans les règles, puisque je ne savais pas alors qu'il y en eût. » De sa* *deuxième pièce,* Clitandre, *jouée la saison suivante, en 1630-1631, il signale qu'il a voulu la faire « régulière (c'est-à-dire dans ces vingt et quatre heures) », pour montrer qu'il était capable de suivre la règle de l'unité de temps, qui était, dit-il, « l'unique règle que l'on connût en ce temps-là ». Les* Examens *des comédies qui suivent, de* La Veuve *en 1631 à* La Place Royale *en 1634, font tous ressortir l'attention que Corneille porte à ces règles qui désormais touchent aussi à l'action et au lieu. Mais ils témoignent aussi des libertés, des oppositions, des flottements qui sont les siens face à ces cadres qu'il trouve trop rigoureux. Et* L'Illusion comique, *en 1636, vient confirmer qu'il reste rétif à tout embrigadement : la pièce, présentée comme « un étrange monstre », est le triomphe de l'irrégularité. Or, au moment même où Corneille louvoie ainsi, les doctes, dans une recherche doctrinale qui se précise en s'approfondissant, poussent les auteurs dramatiques à une rigueur toujours accrue. La scène tragique, en particulier, voit ainsi, dans les années 1634-1636, l'émergence d'une tragédie régulière qui, sans se couper totalement des procédés hérités de la tragi-comédie ou de la pastorale, témoigne d'un sens nouveau de l'action tragique. La* Sophonisbe *de Mairet en 1634, l'*Hercule mourant *de Rotrou la même année,* La Mort de César *de Scudéry et la* Médée *de Corneille lui-même en 1635,* La Mariane *de Tristan et la* Lucrèce *de Du Ryer en 1636, traduisent ce renouveau de la tragédie, en même temps qu'une réflexion menée par les auteurs eux-mêmes sur la régularité. Mais cette réflexion manque encore de fondements théoriques assurés : certains* *textes, comme la* Lettre sur la règle des vingt-quatre heures *de Chapelain, en 1630, ont certes déjà fourni des bases, mais celles-ci demandent à être affinées et précisées. Chaque pièce apparaît ainsi, en elle-même, comme un enjeu pratique dans la réflexion théorique qui est en cours. La question des règles se trouve posée par chaque nouvelle création, qui vient apporter sa pierre à l'édifice, pour le consolider ou l'affaiblir.*

Survient Le Cid. *Par le flamboyant génie qu'elle révèle, la pièce se détache aussitôt de la production qui l'entoure, entraîne un engouement public considérable, écrase la scène tragique de sa réussite. Du coup, dans le contexte passionné de recherches et de discussions qui entourent ces règles devenues le centre du débat dramatique, la pièce de Corneille, par le fait même qu'elle constitue un événement littéraire et qu'elle témoigne d'un talent propre à peser durablement sur la vie du théâtre et à en influencer fortement les évolutions à venir, se trouve représenter plus qu'elle-même : à travers elle, c'est le bien-fondé de la conception d'un théâtre régulier qui se trouve mis en jeu. Le débat se cristallise dès lors tout entier sur la façon dont Corneille prend, par la manière dont il les utilise, position par rapport aux règles : ainsi naît la fameuse* Querelle du Cid, *qui n'est pas le seul fait de confrères jaloux et de doctes opposants à l'esprit fermé, à quoi on veut parfois la réduire, mais bien interrogation en profondeur sur le devenir du théâtre en général et de la tragédie en particulier. Cette Querelle eut en tout cas un effet connu : la publication à la fin de l'année 1637 des*

Sentiments de l'Académie, *exprimant une position officielle peu favorable à Corneille et entraînant son retrait de la scène pendant plus de trois ans, jusqu'à son retour en 1640, avec* Horace, *pièce dans laquelle il montrera une conception de la tragédie intégrant la plupart des observations qui lui avaient été opposées. Et surtout, dans la volonté de prouver que le procès qu'on lui fait est un faux procès, Corneille commence à retoucher ce* Cid *dont il veut montrer à ses détracteurs qu'il contient en fait tous les éléments d'une régularité qu'on l'accuse de mettre à mal. Ici commence une entreprise qui, pendant près de quarante-cinq ans, va amener l'auteur à revenir constamment sur son œuvre, persuadé qu'il est, comme il le dira dans son* Examen *de 1660, que sa pièce est « régulière », même si c'est « celui de tous (ses) ouvrages réguliers où (il s'est) permis le plus de licence ».*

Que Corneille retouche sa pièce n'a rien en soi de particulièrement remarquable : d'une édition à l'autre, l'auteur corrige, retranche, ajoute, polissant chacune de ses pièces, les premières en particulier, et les multiples variantes qu'il apporte au Cid *sont même moins nombreuses que celles qui affectent certaines de ses premières comédies. Mais les modifications que ces variantes apportent, par le fait même qu'elles se trouvent directement dépendre de la Querelle engagée autour de la pièce, sont d'une nature particulière : elles visent en quelque sorte à mettre* Le Cid *en conformité avec l'idée que son auteur veut en donner. Et, à la suite des remarques et objections diverses qui lui ont été faites, elles apparaissent comme une façon de répliquer à l'argumentation de ses adversaires, mais aussi, par telle ou telle nuance apportée ici ou là, comme une manière d'en tenir compte.* Le Cid, *ainsi plusieurs fois remis sur le métier, change imperceptiblement de tonalité et même dans l'esprit de Corneille, le sous-titre donné à la pièce en fait foi, de genre. En 1637, la première édition de la pièce porte comme titre :* Le Cid. Tragi-comédie. *La mention « tragi-comédie » se maintient dans les diverses éditions qui suivent jusqu'en 1646, alors même que Corneille modifie déjà un certain nombre de vers (16 dès la deuxième édition de 1637, 32 dans celle de 1645). Mais il juge que ces transformations n'affectent pas le statut générique de sa pièce. Il n'en va plus de même dans l'édition qui figure, en 1648, dans le recueil de ses* Œuvres *: désormais, le titre* Le Cid *se trouve suivi de la mention* Tragédie, *qu'il conservera dans toutes les éditions suivantes, et notamment dans la grande édition de 1660, où le texte sera le plus retouché, 324 vers s'y trouvant modifiés et tout le début de la pièce transformé.*

C'est cette édition de 1660, à peine modifiée jusqu'à la dernière édition de 1682, qui sert traditionnellement d'édition de référence : Le Cid, *tel qu'on l'a lu et tel qu'on l'a joué depuis le XVIIe siècle, est ainsi un* Cid *profondément remanié. Mais c'est surtout un* Cid *sensiblement différent du* Cid *original, tel que Corneille l'a conçu et créé. Ce qui ne va pas sans quelques conséquences fâcheuses : les commentaires dont on a longtemps agrémenté l'analyse de la pièce, pour parler, dans une vision très romantique des choses, de Corneille comme d'un génie enchaîné, contraint de se soumettre à des normes stérilisantes, cadrent mal avec le texte sur lequel on s'est appuyé pour en faire la preuve. S'il y a une liberté de la création cornélienne, elle est évidemment à chercher dans le texte original, antérieur à toute querelle et témoignant de l'inspiration première de son auteur. Mais, plus radicalement encore, l'histoire du texte pose avec acuité la question qui touche au sens même qu'on est appelé à lui donner : quel est* Le Cid *authentique ?*

Le Cid, tragi-comédie

Quoique l'essentiel de sa production dramatique ait été jusque-là consacré à la comédie — de 1629 à 1636, de Mélite *à* L'Illusion comique, *il en a donné six —, Corneille s'est déjà essayé deux fois au genre tragique ; et il en a expérimenté les deux formules, la tragi-comédie en 1630-1631, avec* Clitandre, *la tragédie en 1634-1635, avec* Médée. *Il sait donc de quoi il parle et ce qu'il fait lorsqu'il désigne* Le Cid *comme une tragi-comédie. Et la pièce qui est jouée au tout début de janvier 1637 est bel et bien une tragi-comédie, répondant parfaitement aux critères habituels d'un genre dont la popularité se maintient alors au plus haut.*

Premier indice de cette inspiration tragi-comique, la genèse de la pièce, contrairement aux tragédies qui vont plus volontiers chercher leur sujet chez les historiens antiques ou dans les textes bibliques, pro-

vient d'un texte dramatique récent, lui-même héritier d'une histoire que le temps a progressivement transformée en légende. Les tragi-comédies, en effet, plutôt que de se référer à l'histoire, empruntent de préférence leurs sujets aux grandes œuvres romanesques et à la littérature de fiction. Et si elles ne dédaignent pas de mettre en scène d'illustres personnages, comme dans la tragédie, c'est non dans leur dimension historique, politique ou religieuse, mais en les envisageant sous leur aspect privé, et notamment dans leur vie sentimentale. Or la légende du Cid, telle que Corneille la recueille, a totalement transformé la réalité historique du personnage en geste fabuleuse : dès le premier Poème du Cid *célébrant, au* XIIe *siècle, les exploits de Rodrigue de Bivar, et les « romances » qui suivent, l'accent est fortement mis sur les aventures personnelles du héros, épousant sur ordre royal la fille d'un grand seigneur qu'il a tué. Hymen dont le caractère romanesque se trouve fortement renforcé par Guillén de Castro, dont Corneille fait sa source essentielle, lequel, en 1621, dans sa pièce intitulée* Las Mocedades del Cid, *montre Chimène amoureuse de Rodrigue avant même le duel qui va opposer celui-ci au Comte son père. On est donc devant une de ces histoires d'amour faite de bruit et de fureur, riche d'une matière propre à nourrir une action complexe et spectaculaire, car, outre le duel, la pièce de Guillén de Castro n'oublie aucun des exploits légendaires qui ont fait la renommée du héros, et offre ce moteur dramatique si prisé de la tragi-comédie : la vengeance. Le choix d'un tel sujet n'est donc pas gratuit. Il correspond parfaitement à une dramatur-*

gie de l'effet, trouvant dans une intrigue embrouillée, dans un conflit porteur de toutes les violences, dans des personnages aux sentiments passionnés se débattant dans des situations extrêmes, et, embrassant le tout, dans une intrigue sentimentale extraordinaire, gage de tous les retournements et de toutes les outrances, la voie de ce qui est très précisément la tragi-comédie. En écrivant Le Cid en 1637, Corneille propose à un public habitué aux pièces de Scudéry, de Rotrou, de Du Ryer, et qui n'a pas oublié encore le flamboyant théâtre de Hardy, une œuvre qui répond à sa définition. « Tragi-comédie », dit le sous-titre : il n'y a pas fraude sur l'appellation.

Pour autant, et il suffit de comparer la pièce à Clitandre pour s'en rendre compte, Le Cid de 1637 est une tragi-comédie assagie, passée au crible sinon de l'orthodoxie régulière où les doctes engagent le théâtre, du moins à celui d'une concentration dramatique et d'une élévation de ton que la tragi-comédie de jeunesse, faite par l'auteur dramatique débutant comme un exercice de style pour se mesurer aux maîtres du genre, ne s'était guère souciée d'envisager. C'est ainsi que Corneille tend à éloigner de la scène le spectacle de la violence physique : reste un soufflet donné au vu de tous, et une épée sanglante brandie par le héros sous les yeux de celle qu'il aime ; mais le duel et la mort du Comte sont rejetés en coulisses, et l'affrontement avec les Mores donne lieu à un simple récit. Dans Clitandre, les affrontements avaient lieu sur la scène, et le spectateur pouvait voir, de ses yeux, les marques sanglantes d'un criminel poursuivi à la trace, une tentative de viol, et même un œil crevé par un coup de poinçon. Le Cid refuse ces outrances, comme il refuse tout ce qui, dans la pièce de Guillén de Castro, offre une image trop hétéroclite des personnages et des situations : ainsi disparaît la scène où Don Diègue mord le doigt de son fils pour l'éprouver, et ce n'est plus un berger peureux réfugié sur un arbre mais le héros lui-même qui raconte le combat contre les Mores. Plus radicalement, Corneille concentre l'action en la débarrassant de plusieurs épisodes secondaires et en l'axant plus fermement sur les rapports de Rodrigue et de Chimène, et il ne s'autorise plus la longue durée — trois ans — sur laquelle s'étalaient « les enfances » du Cid, pour essayer de faire tenir en un jour l'acmé paroxystique du drame qu'il raconte.

Ainsi polie et resserrée, la pièce de Corneille marque une évolution sensible vers la rigueur par rapport à son modèle espagnol. Elle reste néanmoins, dans son essence même, une tragi-comédie. Le texte originel de 1637 le montre d'autant mieux que, par la suite, Corneille, voulant le plier aux exigences de la tragédie, en modifie ou en supprime les aspérités les plus sensibles. Or toutes ces modifications vont dans le même sens : elles visent à atténuer la virulence propre à la tragi-comédie, et notamment en changeant assez sensiblement ce qui constitue, dans la première version de la pièce, son axe central, à savoir l'intrigue sentimentale. Le premier Cid est d'abord, fidèle en cela à l'aspect romanesque de la tragi-comédie, une histoire d'amour. On serait même tenté de dire que le personnage central de l'intrigue, celui autour duquel s'organise l'action dramatique, *est non pas le Cid, qui donne son titre à la pièce, mais bien Chimène. On peut en voir une preuve dans la façon même dont le public du temps reçoit la pièce : les adversaires de Corneille, lui reprochant son irrégularité, concentrent leurs attaques sur le personnage de la jeune fille. Alors que Rodrigue, en quelque sorte élevé à la dignité tragique par la grandeur de ses actes, ne suscite guère de réprobation, Chimène, c'est-à-dire la dimension essentiellement sentimentale du drame, s'attire tous les reproches. Et sa conduite, qui laisse manifestement la part la plus belle à son amour, lequel triomphe au bout du compte de son désir de vengeance, est proprement jugée scandaleuse. Ce qui ne saurait surprendre si l'on remarque que la pièce commence, en 1637, par une double scène, entre le Comte — le père — et Elvire, puis entre cette même Elvire et Chimène — la fille —, qui donne d'emblée au drame une coloration privée, domestique même, celle d'un père cherchant à savoir quels sont les sentiments exacts de sa fille qu'il veut marier, et de cette même fille cherchant à savoir quelles sont les intentions exactes de son père quant au mariage qu'elle espère. À partir de là, tout ce qui survient au fil de l'action constitue une série d'obstacles qui sont autant d'empêchements à ce mariage attendu, rendu soudain problématique voire impossible par les circonstances malheureuses qui séparent les amants. Tout à sa passion, Chimène réagit à la fois en fille désespérée par la mort de son père mais aussi en amante blessée par ce bonheur tant espéré qu'elle voit soudain s'enfuir. Jeune, sans la retenue que l'âge et le sens des convenances pour-*

raient lui donner, elle laisse éclater sa douleur, sa colère, son ressentiment, preuves assurées de cette soudaine déréliction où elle se trouve. Sa fougue éclate dans la façon qu'elle a par exemple de renvoyer Don Sanche, qu'elle croit victorieux de Rodrigue, et de se donner tout entière à cet amant qu'elle croit mort, dans des vers que Corneille supprimera en 1660 :

Pardonne, cher amant, à sa rigueur sanglante,
Songe que je suis fille aussi bien comme amante,
Si j'ai vengé mon père aux dépens de ton sang,
Du mien pour te venger j'épuiserai mon flanc.
(v. 1731-1734.)

Et c'est la même fougue qui, devant le Roi qui lui donne Rodrigue comme époux, lui fait mettre en avant le côté choquant qui s'attache à cette union avec l'assassin de son père au moment où le cadavre du Comte n'est pas encore en terre, mais qui aussi et tout à la fois, alors même qu'elle demande que l'échéance nuptiale soit repoussée, en accepte le principe :

Mais à quoi que déjà vous m'ayez condamnée,
Sire, quelle apparence à ce triste hyménée,
Qu'un même jour commence et finisse mon deuil,
Mette en mon lit Rodrigue, et mon père au cercueil ?
(v. 1831-1834.)

Ce lit scandaleux, Corneille le supprime lui aussi en 1660. Partant, il supprime ce qu'il y a d'irrépres-

sible, d'irraisonné, de pulsionnel dans cette passion, excessive comme toutes les passions.

L'amour a dans le premier Cid *une puissance telle qu'il domine toute la pièce. Posé dans la première scène comme le principe de l'intrigue, le mariage, repoussé par les développements de l'action, constitue, lorsqu'il est enfin accepté par Chimène, le dénouement heureux propre à la résolution du conflit tragi-comique. Il marque aussi, symboliquement, le triomphe d'un monde sur un autre. D'un côté, celui des pères, s'exprime une conception ancienne, féodale et masculine de l'amour ; hommes de guerre avant tout, ceux-ci n'intègrent le paramètre amoureux que de façon brute et brutale : « L'amour n'est qu'un plaisir, et l'honneur un devoir » (v. 1069), affirme Don Diègue devant son fils, en un vers-maxime porteur d'une vérité qui ne souffre pas la contestation. Et la justification qu'il en donne — « Nous n'avons qu'un honneur, il est tant de maîtresses » (v. 1068) — repose sur l'idée que l'amour n'est — c'est Don Diègue encore qui le dit — qu'une « faiblesse », les femmes n'apparaissant dès lors que comme secondaires, voire interchangeables. Cette conception se trouve mise en question, et finalement en ruine, par une autre, tout opposée, qui est celle d'une jeunesse qui croit en l'amour. Rodrigue, Chimène, l'Infante, sont des enfants de* L'Astrée, *de ce monde romanesque nourri de néoplatonisme et de toute la séduisante magie d'un univers galant dont ils découvrent à la fois les délices et les brûlures. Pour eux, l'amour est un plaisir — et la sensualité qui court tout au long de la grande scène de nuit, où*

Rodrigue vient rejoindre Chimène dans ses appartements, le montre bien —, mais c'est aussi, et plus profondément encore, une valeur morale susceptible de donner un sens à leur vie. L'élévation héroïque à laquelle la situation les contraint, loin de faire obstacle à leur amour, le grandit. Chimène aime Rodrigue de ce qu'il a dû faire, alors qu'elle considère qu'il eût trahi l'amour qu'elle lui porte s'il s'était dérobé au devoir de vengeance : « Tu t'es en m'offensant montré digne de moi » (v. 941), lui dit-elle. Dans cette perspective, il y a moins conflit entre amour et honneur que nécessité de répondre à l'honneur pour être digne de l'amour.

Toutes les complications, les rebondissements, les péripéties diverses, qu'agrémentent un certain nombre d'éléments dramatiques traditionnels — fausse mort, quiproquo, évanouissement — affirment ainsi en 1637 la structure tragi-comique d'une pièce dont le moteur dramatique est l'amour, saisi dans le feu d'une jeunesse passionnée que le meurtre symbolique du père met face à ses responsabilités : la double valeur, nuptiale et mortuaire, du lit qu'évoque pour finir Chimène, le dit en un raccourci saisissant.

Le Cid, tragédie

Cet amour se heurte pourtant, dès 1637, à quelque chose qui le dépasse : l'enjeu de l'affaire d'honneur où les deux amants se trouvent pris a une dimension sociopolitique qui déborde leurs seuls sentiments privés. Avec Le Cid, *pour la première fois, Corneille investit le champ politique. Peut-être le contexte immédiat de la guerre contre les Espagnols joue-t-il son rôle, avec cette offensive qui, au début de 1636, a amené ceux-ci jusqu'à Corbie. La panique s'installe à Paris, où l'on redoute de voir surgir l'ennemi; mais une contre-offensive française regagne le terrain perdu et repousse l'assaillant; le soulagement est d'autant plus fort que la peur a été grande, et ce péril conjuré semble directement inspirer la façon dont Rodrigue brise l'attaque des Mores et sauve l'État. Toutefois cette actualité, qui n'est sans doute pas pour rien dans le succès d'une pièce qui exalte et consacre d'aussi belle façon une victoire retentissante, n'est qu'un des éléments d'une réflexion plus vaste sur le devenir même de l'État. Corneille, relisant la légende du Cid à la lumière du monde où il vit, capte en profondeur les lignes de force de la France monarchique de 1630. Rodrigue et Chimène sont certes des héros espagnols, appartenant à l'histoire et à l'imaginaire légendaire de leur pays, mais le drame qu'ils vivent se trouve beaucoup plus tributaire des conditions sociales et politiques contemporaines de Corneille que de celles de la lointaine Castille du XIe siècle. Ce qui fait le tragique de leur amour, c'est qu'il se trouve confronté à une situation qui, alors même qu'elle n'aurait guère posé problème dans un système féodal consacrant le droit du plus fort, fait intervenir des éléments nouveaux qui viennent singulièrement compliquer les choses.*

La véritable complexité du Cid, *plus que dans des croisements de fils dramatiques et des rebondissements incessants de l'action, sur lesquels repose pour l'essentiel la dramaturgie de la tragi-comédie, tient en effet dans l'entremêlement implacable d'une intrigue privée et d'un enjeu collectif. L'amour, considéré d'abord — c'est l'ouverture de la pièce en 1637 — dans sa seule dimension familiale, bascule, avec le duel du Comte et de Rodrigue, dans le domaine proprement politique. En réglant par l'épée le différend qui les oppose, les deux hommes contreviennent directement aux édits que Richelieu multiplie depuis 1626 contre les duels, édits qui sont eux-mêmes la traduction d'une politique de renforcement du pouvoir royal face à l'individualisme nobiliaire. Ce qui est proprement en jeu, c'est la naissance d'un État moderne. Le Comte, qui brave l'autorité royale et refuse de se soumettre aux ordres du Roi, mais aussi Don Diègue, qui règle ses comptes directement par le canal de son fils sans passer par la justice royale, représentent un système féodal où les Grands partagent le principe du pouvoir avec le Roi, qui n'est que le premier d'entre eux. Tout l'effort de Richelieu, épousant en profondeur les lames de fond d'une évolution sociale qui ébranle de plus en plus l'ancien édifice féodal et, du coup, amorce le recul inexorable de la noblesse, vise à la naissance d'un pouvoir royal absolu, central, indépendant des forces centrifuges qui mettent en péril son existence : « Mais songez que les Rois veulent être absolus » (v. 389), dit sans ambages Don Arias au Comte qui se rebiffe contre ce pouvoir. Rodrigue est, à sa façon, l'artisan emblématique de cette politique. Héritier de son sang, il venge certes son père, fidèle en cela aux valeurs de sa caste ; mais son acte rejoint l'arrêt du Roi qui a condamné le Comte. En tuant ce grand seigneur rebelle, il fait, sans même qu'il s'en doute, le jeu du pouvoir. Reste pour lui la nécessité, s'il ne veut pas être rebelle à son tour, de se mettre, sciemment cette fois, au service du Roi : son action audacieuse contre les Mores, dont il prend seul l'initiative — ultime acte d'indépendance dont il s'excuse ensuite auprès du monarque —, sauve non seulement l'État du péril extérieur, mais, par sa propre soumission, garantit celui-ci du péril intérieur. Rodrigue, par ce double acte de courage, devient le Cid, c'est-à-dire le champion d'une royauté qui, par la bouche du Roi lui-même — «Sois désormais le Cid» (v. 1235) —, consacre sa gloire et en accepte le service.*

Face à cette mécanique du pouvoir royal qui intègre les actes de Rodrigue à ses propres rouages, le combat mené par Chimène se trouve condamné d'avance. Pour le pouvoir royal, c'est Rodrigue, symbole d'une noblesse garante de l'État en se mettant entièrement à son service, qui l'emporte sur le Comte, image d'un pouvoir féodal dangereux et rebelle. Le Roi le dit au nouveau Cid :

> J'excuse ta chaleur à venger ton offense,
> Et l'État défendu me parle en ta défense :
> Crois que dorénavant Chimène a beau parler,
> Je ne l'écoute plus que pour la consoler.
> (v. 1263-1266.)

La séparation de Rodrigue, devenu désormais sur l'échiquier royal une pièce majeure, et de Chimène, qui continue elle à jouer sur le seul plan privé, amou-

reux et familial, est inscrite dans la logique de l'action. C'est Rodrigue que Chimène continue à aimer, mais c'est le Cid que le Roi lui propose d'épouser. En 1637, le registre de la tragi-comédie, sans ignorer cet aspect, fait que Chimène se contente de retarder le moment du mariage avec des arguments qui relèvent de sa propre préoccupation privée : « mon deuil », « mon lit », « mon père », « mon honneur », « mes mains dans le sang paternel ». En 1660, l'inflexion tragique change sensiblement le regard de la jeune fille. Désormais elle refuse l'hymen proposé, au nom même d'exigences politiques qu'elle envisage dès lors de façon lucide, en opposant au Roi le « vous » de l'État, auquel appartient dorénavant Rodrigue, et le « je » de son amour et de son honneur privé, qui ne servirait plus que de monnaie d'échange :

Pourrez-vous à vos yeux souffrir cet hyménée ?
Et quand de mon devoir vous voulez cet effort,
Toute votre justice en est-elle d'accord ?
Si Rodrigue à l'État devient si nécessaire,
De ce qu'il fait pour vous dois-je être le salaire ?

(v. 1806-1810, éd. de 1660-1682.)

Le tragique de l'action, l'intrusion dans le drame sentimental des enjeux politiques, l'héroïsation de Rodrigue, révélé à lui-même et comme transfiguré par une situation et par les choix que celle-ci l'amène à prendre, l'élévation morale enfin qui hausse le conflit romanesque jusqu'au drame sublime : la dimension de la tragédie est bien présente, dès 1637, dans la pièce de Corneille. Mais, pour qu'elle l'emporte, encore faut-il que, sensibilisé par les critiques qui relèvent précisément ce qu'il peut y avoir de discordant dans une pièce dont l'inspiration tragi-comique semble dénaturer les potentialités tragiques, Corneille décide de retoucher son texte. Tout le travail de correction qu'il entreprend dès lors vise ainsi à extraire de sa tragi-comédie la tragédie qui s'y trouve. Les modifications qu'il apporte, tant à la structure dramatique, qu'il resserre, qu'aux personnages, dont il gomme ce qui, dans leur expression même, paraît trop excessif, traduisent certes une volonté de « régulariser » son texte et ainsi de faire pièce aux reproches de ses adversaires, mais surtout témoignent d'un changement de perspective dramatique. Il y a bien deux Cid successifs. Et c'est pourquoi, d'ailleurs, Le Cid de 1637 est essentiel : il est le texte pivot dans la carrière de Corneille, celui par lequel passe, pour l'auteur de Mélite et de L'Illusion comique, l'inflexion vers le tragique porteuse des pièces à venir.

Le Cid, comi-tragédie

Car, si Le Cid est l'amorce des grandes tragédies, il importe de ne pas oublier à quel point, notamment par son intrigue amoureuse, il se place directement dans la ligne des comédies qui ont précédé. De Mélite à L'Illusion comique, la structure dramatique s'organise, selon une formule qui n'est pas propre à Corneille mais que l'on trouve déjà, par exemple, dans la commedia erudita *italienne, autour de deux couples embarqués dans des péripéties sentimentales compliquées, qui finissent par se débrouiller dans un dénouement heureux qui clôt le tout par un double mariage. Au départ, Corneille joue de ce schéma convenu avec délectation, y introduisant même, pour faire bonne mesure, un cinquième personnage. C'est dire qu'il y en a un de trop, et que la résolution de l'intrigue passera donc par la mise à l'écart de cet élément superflu : Philandre, trop inconstant, fait ainsi les frais, dans* Mélite, *de la double union qui rapproche Mélite et Tircis d'un côté, Éraste et Cloris de l'autre. Et Alcidon se retrouve, dans* La Veuve, *pareillement écarté, tandis que se trouvent réunis Clarice et Philiste ainsi que Doris et Célidan. Or, ce schéma comique de base, Corneille, peu à peu, le fait évoluer par une concentration dramatique qui tend à réduire le nombre des protagonistes et à modifier la nature même des obstacles qui s'opposent au bonheur des amants. C'est déjà sensible dans* La Galerie du Palais, *où la situation initiale — l'amour de Lysandre et de Célidée, perturbé par les menées sentimentales d'Hippolyte et de Dorimant — se retrouve être, une fois ces menées déjouées, la situation finale : c'est ici en eux-mêmes que les amants trouvent leur principal obstacle — le doute, la jalousie —, et c'est cette épreuve intime qu'il leur faut surmonter pour que la comédie arrive à son terme.* La Suivante *et* La Place Royale *accentuent encore cette concentration, qui fait passer d'une mécanique comique extérieure aux mécanismes intérieurs du sentiment : dans cette dernière pièce, le couple central Alidor-Angélique* ne parvient d'ailleurs pas à surmonter ses propres obstacles personnels, et l'union finale du couple secondaire Cléandre-Phylis met d'autant plus en lumière la désunion du couple central. La comédie se termine dans la grisaille de la séparation, inversant ainsi le schéma comique du mariage final et imposant la solitude des deux amants.

Le monde comique de Corneille, tel qu'il apparaît à travers cette évolution sensible d'une pièce à l'autre, est donc complexe. Aux personnages qui s'agitent, se poursuivent, jouent en quelque sorte la comédie du sentiment, tels qu'on les voit dans les premières comédies, succèdent des cœurs qui souffrent vraiment, des amants qui se quittent pour de bon, une solitude qui rôde. Les comédies de l'apparence joyeuse font place aux comédies d'une réalité plus ambiguë. Et c'est ce jeu de l'apparence et de la réalité qui fait le fond de L'Illusion comique, moins rupture avec les pièces précédentes que couronnement d'une problématique qui s'y est progressivement mise en place. Les héros sont pris dans un ballet amoureux qui accumule les obstacles. Le sang coule. Les amants doivent surmonter l'épreuve de la prison puis de la fuite. Leur union sent donc fortement la tragédie. De plus, dans l'Illusion, un magicien raconte l'aventure des personnages sous forme de tragédie. Ce théâtre dans le théâtre insère une fausse tragédie dans la vraie comédie. Corneille a donc ainsi dépassé la limite étroite des genres en liant le tragique au comique dans une pièce qui est sans doute un « étrange monstre », mais qui dit mieux qu'aucune autre l'essence du théâtre, et qui *est une étape capitale dans l'évolution du théâtre cornélien.*

Ainsi, en se resserrant sur les personnages et leurs conflits intimes, les comédies de Corneille appellent en quelque sorte la tragédie : une certaine cruauté du jeu amoureux, sensible dès Mélite, *a peu à peu envahi la scène, jusqu'à aboutir à ce drame grinçant qu'est en fait* La Suivante, *à cette méditation quasi théologique sur la vertu d'indifférence qu'est* La Place Royale, *à cette réflexion sur l'illusion et la vérité, le théâtre et la vie, qu'est* L'Illusion comique. *Dans ces conditions,* Le Cid *n'est pas une rupture : il est la pièce où, dans cette bipolarité dont est porteur le théâtre cornélien, le courant s'inverse, la tonalité bascule. Comique appelant le tragique, la scène cornélienne devient tragique, sans se couper de sa composante comique.* Le Cid, *en 1637, commence en fait, on l'a vu, comme une comédie familiale : un père inquiet du mariage de sa fille et qui se renseigne auprès d'une suivante, qu'il utilise comme espionne, pour savoir qui elle aime, et une fille elle-même inquiète des sentiments de son père qui attend avec impatience le compte rendu de ladite suivante, laquelle mène double jeu, pour savoir quelles décisions il a prises. Avec, pour renforcer encore le schéma que l'on trouve dans les premières comédies, une autre jeune fille, également amoureuse du même jeune homme, et qui confie ses propres espoirs à sa suivante. Si le rang social de tous ces personnages — un grand seigneur, une Infante, l'ombre du Roi qui plane — interdit évidemment de les assimiler au monde habituel de la comédie, leurs attitudes, leurs façons d'être et de réagir comme n'importe quel homme et n'importe quelle femme, et la familiarité même qui baigne l'atmosphère de ces conversations domestiques, maintiennent ces premières scènes dans un éclairage de simplicité et d'humanité commune. Ce qui même, vu l'élévation sociale des protagonistes, fait peser sur eux le poids léger mais sensible d'un certain ridicule : ce Comte, grand capitaine sur qui repose le sort du royaume et qui aspire à devenir gouverneur du Prince, se conduit comme n'importe quel père de comédie, prêt à soudoyer une servante pour tout savoir des sentiments de sa fille. Et cette tonalité joue sur la scène suivante, celle-là même où se noue le drame par l'affrontement des deux pères. Voir en effet ce personnage du Comte, qu'on vient de quitter tout préoccupé de ses problèmes domestiques, revenir hors de lui, gesticulant, haussant le ton, se prenant de colère avec un vieillard aussi entier que lui, cela, malgré la gravité de la situation et l'importance de l'enjeu, ne laisse pas de faire penser à ces scènes de comédie où des vieillards coléreux se jettent leur mérite à la figure, dans une surenchère verbale et gestuelle qui les amène à en venir aux mains.*

On touche ici, dans la structure d'une telle scène, à un aspect si particulier qu'il apparaît comme spécifique de la pièce entière. La grandeur, la force, la hauteur, tout ce qui fait le tragique de la scène, est davantage question de tonalité que de situation. On est même au point extrême de l'équilibre. Qu'on accentue un peu les effets, qu'on appuie sur les attitudes, qu'on force le trait, et la pièce risque de basculer dans l'outrance comique. Si Le Cid *a suscité tant de parodies et connu, de Georges Fourest aux pastiches de collégiens, tant de prolongements comiques, ce n'est pas le fait du hasard : c'est que la pièce est sur le fil. Corneille lui-même y est sensible, qui recompose entièrement les scènes d'ouverture en 1660, et accentue tout au long de la pièce la dignité tragique. Mais, au-delà même des retouches ainsi apportées, le fait demeure :* Le Cid *fait constamment écho aux comédies qui l'ont précédé. Entre le Comte et Matamore, il n'y a guère que la différence du vrai au faux, mais l'apparence est la même :*

Le seul bruit de mon nom renverse les murailles,
Défait les escadrons et gagne les batailles.
(*L'Illusion comique*, v. 233-234.)

Grenade et l'Aragon tremblent quand ce fer brille,
Mon nom sert de rempart à toute la Castille.
(*Le Cid*, v. 191-192.)

Les vers se suivent et se ressemblent : les deux premiers, pourtant, sont de Matamore, les deux suivants du Comte. L'illusion, on le voit, est totale ! Et les exemples sont multiples de ces résonances d'une pièce à l'autre, sans que l'appartenance de chacune au genre comique ou au genre tragique permette toujours de trancher. Ainsi Chimène s'évanouit lorsqu'on vient lui annoncer la mort de son amant : « Mais voyez qu'elle pâme... » (v. 1353), tout comme Mélite s'évanouissait en apprenant la mort de Tircis : « Hélas ! soutenez-moi, je n'en puis plus, je pâme » (v. 1344). Et, dans les deux cas, l'annonce de la mort est fausse. Mais, alors même que dans la comédie, c'est un jeune homme, Lisis, qui veut éprouver par cette feinte le cœur de la jeune fille — plaisanterie douteuse, mais compréhensible —, c'est le Roi lui-même qui dans Le Cid *a recours à ce subterfuge et le met en scène comme une pure comédie, demandant à ceux qui l'entourent d'entrer dans son jeu : « Contrefaites le triste » (v. 1347). Le procédé semble si peu en accord avec la dignité royale que Corneille, en 1660, corrige ce « Contrefaites » qui sent un peu trop sa grimace en un « Montrez un œil plus triste » qui, pour offrir plus de tenue, n'enlève rien au déguisement comique. Et multiples sont les situations de ce type, déjà expérimentées dans les comédies, et reprises presque en l'état ici : seule change la nature des personnages. Par l'approfondissement que Corneille donne à ceux-ci, il élargit en fait les problèmes dont ils sont porteurs.*

Dans les comédies, ce qui prédomine en effet, c'est la dimension privée : Alidor, sur ce point, dans La Place Royale, *exprime le plus haut point de philosophie personnelle auquel l'amour puisse conduire l'individu. Avec Rodrigue et Chimène, le privé se heurte au social et au politique. L'idylle des deux jeunes gens, lorsque la pièce commence, n'appartient encore qu'à la sphère du privé. Le développement de la situation transfigure leurs problèmes personnels, et le devoir de réparation et de vengeance auquel ils se trouvent confrontés les entraîne dans la défense des valeurs du groupe social auquel ils appartiennent, puis, par les implications que cette défense comporte, fait de leur amour une affaire d'État. Tel est le sens de la transformation de Rodrigue en Cid : l'individu devient héros, et du coup le drame personnel se transcende en tragédie politique. Néanmoins, dans ce nouveau rôle qu'il se doit d'assumer, le Cid ne perd rien de son être affectif. Son amour pour Chimène non seulement ne s'en trouve en rien affecté, mais il est même comme renforcé par l'exigence morale qu'implique son statut de héros. Face à son père qui distingue de façon brute et brutale les deux — «L'amour n'est qu'un plaisir, et l'honneur un devoir» (v. 1069) —, Rodrigue tient d'emblée à s'opposer à cette distinction réductrice :*

L'infamie est pareille et suit également
Le guerrier sans courage et le perfide amant.
(v. 1073-1074.)

C'est en cela que réside le caractère particulier de ce drame : la grandeur des intérêts d'État, la défense de l'honneur de caste, l'exigence de la vertu personnelle n'excluent pas mais au contraire intègrent les passions, les souffrances, les battements intimes du cœur. La pièce marque à la fois une héroïsation du Cid, ce qui rend le personnage sublime, mais elle conserve toute son humanité à Rodrigue, ce qui le rattache à tous ces êtres de chair et de sang qui font la comédie humaine. Et qui faisaient en particulier les premières comédies de Corneille : même fougue, même jeunesse, mêmes rapports difficiles avec le père, même exaltation suivie des mêmes abattements, mêmes déclarations enflammées. Au sein de la tragédie à laquelle ils accèdent, les personnages restent des individus, avec leurs faiblesses, leurs petits côtés, leurs ridicules même. Vaniteux, le Comte ; entêté, Don Diègue ; plus bonhomme qu'autoritaire, Don Fernand ; romanesque, l'Infante ; écorchée vive, Chimène ; fougueux, Rodrigue ; et tous se débattant dans un drame qui les dépasse et au niveau duquel ils se haussent, mais en restant eux-mêmes. Les héros cornéliens, dans Le Cid, *ne sont pas figés, parce qu'ils sont en devenir. Ils sentent encore leurs prédécesseurs des comédies, s'ils sentent déjà leurs successeurs des tragédies, et c'est ce qui les rend plus attachants que d'autres. Il y a dans cette pièce charnière trace de ce que l'on pourrait appeler la tentation comique de Corneille, qui innerve ses premières pièces et qui innervera encore les dernières, chargées de moins d'héroïsme et de plus d'humanité que les grandes tragédies de l'âge mûr. Comme il y a chez Molière une tentation tragique, avortée dans* Dom Garcie de Navarre, *et du coup se reportant sur toutes les grandes comédies, il y a chez Corneille une tentation comique, c'est-à-dire une façon de prendre les hommes pour ce qu'ils sont et de les livrer tels quels au monde tragique. Dépassant la stricte question des règles et des genres, Corneille, comme Molière, fait évoluer les formes théâtrales, parce qu'il les plie à son univers personnel.*

Cette dualité, qui fait l'originalité mais aussi le

scandale d'une pièce échappant si manifestement aux cadres en train de se constituer de la hiérarchie théâtrale, la version de 1637 la porte à son paroxysme. Le côté entier des personnages, ne se préoccupant pas de mettre la moindre sourdine à leurs cris du cœur, montre que la transfiguration héroïque ne va pas sans mal, et qu'on n'endosse pas impunément les habits tragiques. D'autant que l'âge de Chimène et de Rodrigue accompagne la tragédie morale et politique où ils se trouvent plongés d'une dimension personnelle essentielle dans la vie de tout individu : les événements les forcent à quitter le domaine protégé de la jeunesse pour assumer les responsabilités inhérentes à l'âge adulte. Le passage est difficile, et les cœurs, et les corps, renâclent. En 1660, Corneille aura cinquante-quatre ans : il lui sera alors plus facile d'accorder ses personnages à la dignité tragique, en gommant ce que cette fougue juvénile pouvait avoir d'excessif. En étant plus impulsifs, les héros du premier Cid *sont à la fois plus humains, et ainsi plus proches de l'univers comique, et plus déchirés, et ainsi impliqués de façon plus intime dans la dimension tragique du drame qui les touche. « Comi-tragédie » en ce sens,* Le Cid *de 1637 porte en lui toutes les ambivalences de l'univers dramatique de Corneille. C'est ce qui fait sa richesse, et qui explique peut-être, en dernière analyse, le charme indéfinissable de la pièce : cette sensation qu'elle offre, à chaque lecture, à chaque représentation, de dévoiler des zones d'ombre, des profondeurs secrètes qui n'en finissent pas de parler au cœur plus qu'à la raison, et que toutes les classifications ne parvien-*

nent jamais à cerner totalement ni à enserrer dans les limitations d'une définition définitive : Le Cid, Le Cid, *toujours recommencé...*

JEAN SERROY

NOTE SUR LA PRÉSENTE ÉDITION

Nous reproduisons le texte de l'édition originale :

LE CID, TRAGI-COMÉDIE,
À Paris, chez Augustin Courbé, 1637
(avec privilège du Roi,
et achevé d'imprimer du 23 mars 1637).

Toutefois, pour faciliter la confrontation de ce texte avec celui des éditions remaniées de 1660-1682, nous le faisons suivre, p. 153, d'un tableau de concordance présentant le découpage des deux versions de la pièce, et de larges extraits présentant les variantes essentielles :

— pour ce qui concerne le texte de la pièce, les scènes ayant subi les modifications principales en 1660-1682 ;

— pour ce qui concerne les textes liminaires, l'*Avertissement* ajouté par Corneille en 1648-1656 et l'*Examen* ajouté en 1660-1682.

Nous avons modernisé l'orthographe, sans évidemment toucher à ce qui ressortit au domaine de la langue ou de la versification; la ponctuation d'origine a été respectée au plus près, de même que l'emploi des majuscules.

Le Cid

TRAGI-COMÉDIE

À MADAME DE COMBALET[1]

Madame,

Ce portrait vivant que je vous offre représente un héros assez reconnaissable aux lauriers dont il est couvert. Sa vie a été une suite continuelle de victoires, son corps porté dans son armée a gagné des batailles après sa mort[2] et son nom au bout de six cents ans vient encore de triompher en France. Il y a trouvé une réception trop favorable pour se repentir

1. Madame de Combalet : Marie-Madeleine de Vignerot de Pont-de-Courlay (1604-1675), épouse en 1620, puis veuve en 1621, d'Antoine de Beauvoir, seigneur de Combalet. Nièce de Richelieu, qui la fait duchesse d'Aiguillon en 1638, placée par celui-ci auprès de la reine, c'est une femme d'esprit, familière de l'Hôtel de Rambouillet, amie et protectrice de Voiture, Scudéry, Colletet, et une des premières et des plus ferventes admiratrices de Corneille. La dédicace que Corneille lui adresse porte « À Madame la Duchesse d'Aiguillon » dans les éditions de 1648-1656, puis est supprimée dans celles de 1660-1682.

2. Allusion à un épisode de la légende du Cid, rappelé par le *Romancero*, selon lequel le corps embaumé du héros, qui venait de mourir, fut attaché tout armé à un cheval et lancé par les Espagnols contre les Mores sur le champ de bataille, entraînant la panique et la déroute de ces derniers.

d'être sorti de son pays, et d'avoir appris à parler une autre langue que la sienne. Ce succès a passé mes plus ambitieuses espérances, et m'a surpris d'abord, mais il a cessé de m'étonner depuis que j'ai vu la satisfaction que vous avez témoignée quand il a paru devant vous ; alors j'ai osé me promettre de lui tout ce qui en est arrivé, et j'ai cru qu'après les éloges dont vous l'avez honoré, cet applaudissement universel ne lui pouvait manquer. Et véritablement, Madame, on ne peut douter avec raison de ce que vaut une chose qui a le bonheur de vous plaire : le jugement que vous en faites est la marque assurée de son prix ; et comme vous donnez toujours libéralement aux véritables beautés l'estime qu'elles méritent, les fausses n'ont jamais le pouvoir de vous éblouir. Mais votre générosité ne s'arrête pas à des louanges stériles pour les ouvrages qui vous agréent, elle prend plaisir à s'étendre utilement sur ceux qui les produisent, et ne dédaigne point d'employer en leur faveur ce grand crédit que votre qualité et vos vertus vous ont acquis. J'en ai ressenti des effets qui me sont trop avantageux pour m'en taire, et je ne vous dois pas moins de remerciements pour moi que pour *Le Cid*. C'est une reconnaissance qui m'est glorieuse puisqu'il m'est impossible de publier que je vous ai de grandes obligations, sans publier en même temps que vous m'avez assez estimé pour vouloir que je vous en eusse. Aussi, Madame, si je souhaite quelque durée pour cet heureux effort de ma plume, ce n'est point pour apprendre mon nom à la postérité, mais seulement pour laisser des marques éternelles de ce que je vous dois, et faire lire à ceux qui naîtront dans les autres siècles la protestation que je fais d'être toute ma vie,

MADAME,

Votre très humble, très obéissant
et très obligé serviteur,
CORNEILLE.

ACTEURS[1]

DON FERNAND, premier Roi de Castille.
DOÑA URRAQUE, Infante de Castille.
DON DIÈGUE, père de don Rodrigue.
DON GOMÈS, Comte de Gormas, père de Chimène.
DON RODRIGUE, fils de don Diègue et Amant de Chimène.
DON SANCHE, amoureux de Chimène.
DON ARIAS, } Gentilshommes castillans.
DON ALONSE, }
CHIMÈNE, maîtresse de don Rodrigue et de don Sanche.
LÉONOR, Gouvernante de l'Infante.
ELVIRE, suivante de Chimène.
Un Page de l'Infante.

La Scène est à Séville.

1. Var. : Don Rodrigue, Amant de Chimène (1660-1682)
Chimène, fille de Don Gomès (1648-1682)
Elvire, Gouvernante de Chimène (1660-1682).

Cette dernière indication répond à un reproche formulé par l'Académie, qui avait relevé pour s'en étonner qu'Elvire était «simple suivante». La charge de la gouvernante, préposée à l'éducation des enfants des grandes maisons, était d'une tout autre dignité que l'emploi de suivante.

ACTE PREMIER

SCÈNE PREMIÈRE

LE COMTE, ELVIRE

ELVIRE

Entre tous ces amants[1] dont la jeune ferveur
Adore votre fille, et brigue ma faveur,
Don Rodrigue et Don Sanche à l'envi font paraître
Le beau feu qu'en leurs cœurs ses beautés ont fait
[naître,
Ce n'est pas que Chimène écoute leurs soupirs, 5
Ou d'un regard propice anime leurs désirs,
Au contraire pour tous dedans l'indifférence
Elle n'ôte à pas un, ni donne d'espérance,
Et sans les voir d'un œil trop sévère, ou trop doux,
C'est de votre seul choix qu'elle attend un époux. 10

LE COMTE

Elle est dans le devoir, tous deux sont dignes d'elle,

1. On trouvera dans le lexique les mots dont le sens au XVIIe siècle diffère du sens moderne.

Tous deux formés d'un sang, noble, vaillant, fidèle,
Jeunes, mais qui font lire aisément dans leurs yeux
L'éclatante vertu de leurs braves aïeux.
15 Don Rodrigue surtout n'a trait en son visage
Qui d'un homme de cœur ne soit la haute image,
Et sort d'une maison si féconde en guerriers
Qu'ils y prennent naissance au milieu des lauriers.
La valeur de son père, en son temps sans pareille,
20 Tant qu'a duré sa force a passé pour merveille,
Ses rides sur son front ont gravé ses exploits,
Et nous disent encor ce qu'il fut autrefois :
Je me promets du fils ce que j'ai vu du père,
Et ma fille en un mot peut l'aimer et me plaire.
25 Va l'en entretenir, mais dans cet entretien,
Cache mon sentiment et découvre le sien,
Je veux qu'à mon retour nous en parlions ensemble ;
L'heure à présent m'appelle au conseil qui s'assemble,
Le Roi doit à son fils choisir un Gouverneur[1],
30 Ou plutôt m'élever à ce haut rang d'honneur,
Ce que pour lui mon bras chaque jour exécute
Me défend de penser qu'aucun[2] me le dispute.

SCÈNE SECONDE

CHIMÈNE, ELVIRE

ELVIRE, *seule.*

Quelle douce nouvelle à ces jeunes amants !
Et que tout se dispose à leurs contentements !

1. *Gouverneur* : qui est chargé de la formation du futur roi.
2. *Aucun* : personne.

CHIMÈNE

Eh bien, Elvire, enfin, que faut-il que j'espère ? 35
Que dois-je devenir, et que t'a dit mon père ?

ELVIRE

Deux mots dont tous vos sens doivent être charmés,
Il estime Rodrigue autant que vous l'aimez.

CHIMÈNE

L'excès de ce bonheur me met en défiance,
Puis-je à de tels discours donner quelque croyance ? 40

ELVIRE

Il passe bien plus outre, il approuve ses feux,
Et vous doit commander de répondre à ses vœux.
Jugez après cela puisque tantôt[1] son père
Au sortir du Conseil doit proposer l'affaire,
S'il pouvait avoir lieu de mieux prendre[2] son temps, 45
Et si tous vos désirs seront bientôt contents.

CHIMÈNE

Il semble toutefois que mon âme troublée
Refuse cette joie, et s'en trouve accablée,
Un moment donne au sort des visages divers,
Et dans ce grand bonheur je crains un grand revers. 50

ELVIRE

Vous verrez votre crainte heureusement déçue.

CHIMÈNE

Allons, quoi qu'il en soit, en attendre l'issue.

1. *Tantôt* : tout à l'heure.
2. *Prendre* : choisir.

SCÈNE TROISIÈME

L'INFANTE, LÉONOR, PAGE

L'INFANTE, *au Page.*

Va-t'en trouver Chimène, et lui dis de ma part
Qu'aujourd'hui pour me voir elle attend un peu tard,
55 Et que mon amitié se plaint de sa paresse.

Le Page rentre[1].

LÉONOR

Madame, chaque jour même désir vous presse,
Et je vous vois pensive et triste chaque jour
L'informer[2] avec soin comme va son amour

L'INFANTE

J'en dois bien avoir soin, je l'ai presque forcée
60 À recevoir les coups[3] dont son âme est blessée,
Elle aime Don Rodrigue et le tient de ma main,
Et par moi Don Rodrigue a vaincu son dédain,
Ainsi de ces amants ayant formé les chaînes,
Je dois prendre intérêt à la fin de leurs peines.

LÉONOR

65 Madame, toutefois parmi leurs bons succès,
On vous voit un chagrin qui va jusqu'à l'excès.
Cet amour qui tous deux les comble d'allégresse

1. *Rentre* : dans la coulisse, c'est-à-dire sort de scène.
2. *L'informer* : lui demander. En 1660, Corneille corrige en : « Demander en quel point se trouve son amour ».
3. En 1660, Corneille remplace par « les traits », qui donne plus de cohérence à la métaphore galante des flèches de l'Amour.

Fait-il de ce grand cœur la profonde tristesse ?
Et ce grand intérêt que vous prenez pour eux
Vous rend-il malheureuse alors qu'ils sont heureux ? 70
Mais je vais trop avant, et deviens indiscrète.

L'INFANTE

Ma tristesse redouble à la tenir secrète.
Écoute, écoute enfin comme j'ai combattu,
Et plaignant ma faiblesse admire[1] ma vertu.
L'amour est un tyran qui n'épargne personne, 75
Ce jeune Chevalier[2], cet amant que je donne,
Je l'aime.

LÉONOR

Vous l'aimez !

L'INFANTE

Mets la main sur mon cœur,
Et vois comme il se trouble au nom de son vainqueur,
Comme il le reconnaît.

LÉONOR

Pardonnez-moi, Madame,
Si je sors du respect pour blâmer cette flamme. 80
Choisir pour votre amant un simple Chevalier !

1. *Admire* : considère. En 1660, Corneille remplace ce vers par : « Écoute quels assauts brave encore ma vertu ».

2. *Chevalier* : gentilhomme. Les éditions de 1645-1682 portent « cavalier », qui a le même sens de « gentilhomme qui porte l'épée et qui est habillé en homme de guerre » (Furetière, *Dictionnaire universel*, 1690), mais qui, d'origine espagnole ou italienne, est plus à la mode et tend à remplacer le vieux terme français de « chevalier ».

Une grande Princesse à ce point s'oublier !
Et que dira le Roi ? que dira la Castille ?
Vous souvenez-vous bien de qui vous êtes fille !

L'INFANTE

85 Oui, oui, je m'en souviens, et j'épandrai mon sang
Plutôt que de rien faire indigne de mon rang.
Je te répondrais bien que dans les belles âmes
Le seul mérite a droit de produire des flammes,
Et si ma passion cherchait à s'excuser,
90 Mille exemples fameux pourraient l'autoriser.
Mais je n'en veux point suivre où ma gloire
[s'engage[1],
Si j'ai beaucoup d'amour, j'ai bien plus de courage,
Un noble orgueil m'apprend qu'étant fille de Roi
Tout autre qu'un Monarque est indigne de moi.
95 Quand je vis que mon cœur ne se pouvait défendre,
Moi-même je donnai ce que je n'osais prendre,
Je mis au lieu de moi Chimène en ses liens,
Et j'allumai leurs feux pour éteindre les miens.
Ne t'étonne donc plus si mon âme gênée[2]
100 Avec impatience attend leur hyménée,
Tu vois que mon repos en dépend aujourd'hui :
Si l'amour vit d'espoir, il meurt avecque lui,
C'est un feu qui s'éteint faute de nourriture,
Et malgré la rigueur de ma triste aventure
105 Si Chimène a jamais Rodrigue pour mari
Mon espérance est morte, et mon esprit guéri.

1. *S'engage* : court des risques, peut se compromettre.
2. *Gêné* : torturé (soumis à la « gêne », « torture, question, peine que l'on fait souffrir à un criminel pour lui faire avouer la vérité », *Dictionnaire de l'Académie française*, 1694).

Je souffre cependant un tourment incroyable,
Jusques à cet hymen Rodrigue m'est aimable[1],
Je travaille à le perdre, et le perds à regret,
Et de là prend son cours mon déplaisir secret. 110
Je suis au désespoir que l'amour me contraigne
À pousser des soupirs pour ce que je dédaigne,
Je sens en deux partis mon esprit divisé,
Si mon courage est haut, mon cœur est embrasé :
Cet hymen m'est fatal, je le crains, et souhaite, 115
Je ne m'en promets rien qu'une joie imparfaite,
Ma gloire et mon amour ont tous deux tant d'appas
Que je meurs s'il s'achève[2], et ne s'achève pas

LÉONOR

Madame, après cela je n'ai rien à vous dire,
Sinon que de vos maux avec vous je soupire : 120
Je vous blâmais tantôt, je vous plains à présent.
Mais puisque dans un mal si doux et si cuisant
Votre vertu combat et son charme et sa force,
En repousse l'assaut, en rejette l'amorce[3],
Elle rendra le calme à vos esprits flottants. 125
Espérez donc tout d'elle, et du secours du temps,
Espérez tout du Ciel, il a trop de justice
Pour souffrir la vertu si longtemps au supplice.

L'INFANTE

Ma plus douce espérance est de perdre l'espoir.

1. *Aimable* : digne d'être aimé.
2. *S'achève* : se réalise.
3. *L'amorce* : la séduction.

LE PAGE

130 Par vos commandements Chimène vous vient voir.

L'INFANTE[1]

Allez l'entretenir en cette galerie.

LÉONOR

Voulez-vous demeurer dedans la rêverie ?

L'INFANTE

Non, je veux seulement, malgré mon déplaisir,
Remettre mon visage un peu plus à loisir.
135 Je vous suis. Juste Ciel, d'où j'attends mon remède,
Mets enfin quelque borne au mal qui me possède,
Assure mon repos, assure mon honneur,
Dans le bonheur d'autrui je cherche mon bonheur,
Cet hyménée à trois également importe,
140 Rends son effet plus prompt, ou mon âme plus forte,
D'un lien conjugal joindre ces deux amants,
C'est briser tous mes fers et finir mes tourments.
Mais je tarde un peu trop, allons trouver Chimène,
Et par son entretien soulager notre peine.

SCÈNE QUATRIÈME

LE COMTE, DON DIÈGUE

LE COMTE

145 Enfin vous l'emportez, et la faveur du Roi
Vous élève en un rang qui n'était dû qu'à moi,
Il vous fait Gouverneur du Prince de Castille.

1. Une indication scénique précise à partir de 1648 : *À Léonor*.

DON DIÈGUE

Cette marque d'honneur qu'il met dans ma famille
Montre à tous qu'il est juste, et fait connaître assez
Qu'il sait récompenser les services passés. 150

LE COMTE

Pour grands que soient les Rois, ils sont ce que nous
[sommes,
Ils peuvent se tromper comme les autres hommes,
Et ce choix sert de preuve à tous les Courtisans
Qu'ils savent mal payer les services présents.

DON DIÈGUE

Ne parlons plus d'un choix dont votre esprit s'irrite, 155
La faveur l'a pu faire autant que le mérite ;
Vous choisissant peut-être on eût pu mieux choisir,
Mais le Roi m'a trouvé plus propre à son désir.
À l'honneur qu'il m'a fait ajoutez-en un autre,
Joignons d'un sacré nœud ma maison à la vôtre, 160
Rodrigue aime Chimène, et ce digne sujet
De ses affections est le plus cher objet :
Consentez-y, Monsieur, et l'acceptez pour gendre.

LE COMTE

À de plus hauts partis Rodrigue doit prétendre,
Et le nouvel éclat de votre dignité 165
Lui doit bien mettre au cœur une autre vanité.
Exercez-la, Monsieur, et gouvernez le Prince,
Montrez-lui comme il faut régir une Province,
Faire trembler partout les peuples sous sa loi,
Remplir les bons d'amour, et les méchants d'effroi : 170
Joignez à ces vertus celles d'un Capitaine,

Montrez-lui comme il faut s'endurcir à la peine,
Dans le métier de Mars se rendre sans égal,
Passer les jours entiers et les nuits à cheval,
175 Reposer tout armé, forcer une muraille,
Et ne devoir qu'à soi le gain d'une bataille.
Instruisez-le d'exemple, et vous ressouvenez
Qu'il faut faire à ses yeux ce que vous enseignez.

DON DIÈGUE

Pour s'instruire d'exemple, en dépit de l'envie,
180 Il lira seulement l'histoire de ma vie :
Là dans un long tissu de belles actions
Il verra comme il faut dompter des nations,
Attaquer une place, ordonner une armée,
Et sur de grands exploits bâtir sa renommée.

LE COMTE

185 Les exemples vivants ont bien plus de pouvoir,
Un Prince dans un livre apprend mal son devoir ;
Et qu'a fait après tout ce grand nombre d'années
Que ne puisse égaler une de mes journées[1] ?
Si vous fûtes vaillant, je le suis aujourd'hui,
190 Et ce bras du Royaume est le plus ferme appui ;
Grenade et l'Aragon tremblent quand ce fer brille,
Mon nom[2] sert de rempart à toute la Castille,
Sans moi vous passeriez bientôt sous d'autres lois,
Et si vous ne m'aviez, vous n'auriez plus de Rois.
195 Chaque jour, chaque instant, entasse pour ma gloire
Laurier dessus laurier, victoire sur victoire :

1. *Journée* : exploit, fait d'armes. « Signifie encore un jour de bataille, ou la bataille même » (Académie).
2. *Nom* : renommée, réputation.

Le Prince, pour essai de générosité,
Gagnerait des combats marchant à mon côté,
Loin des froides leçons qu'à mon bras on préfère,
Il apprendrait à vaincre en me regardant faire. 200

DON DIÈGUE

Vous me parlez en vain de ce que je connoi,
Je vous ai vu combattre et commander sous moi[1] :
Quand l'âge dans mes nerfs[2] a fait couler sa glace
Votre rare valeur a bien rempli ma place,
Enfin pour épargner les discours superflus 205
Vous êtes aujourd'hui ce qu'autrefois je fus.
Vous voyez toutefois qu'en cette concurrence
Un Monarque entre nous met de la différence.

LE COMTE

Ce que je méritais, vous l'avez emporté.

DON DIÈGUE

Qui l'a gagné sur vous, l'avait mieux mérité. 210

LE COMTE

Qui peut mieux l'exercer, en est bien le plus digne.

DON DIÈGUE

En être refusé n'en est pas un bon signe.

LE COMTE

Vous l'avez eu par brigue étant vieux Courtisan.

1. *Sous moi* : sous mon commandement.
2. *Nerfs* : le mot, conformément à son étymologie (« nervus » : tendon, ligament), s'utilise volontiers pour « muscles ».

DON DIÈGUE

L'éclat de mes hauts faits fut mon seul partisan.

LE COMTE

215 Parlons-en mieux, le Roi fait honneur à votre âge.

DON DIÈGUE

Le Roi, quand il en fait, le mesure au courage.

LE COMTE

Et par là cet honneur n'était dû qu'à mon bras.

DON DIÈGUE

Qui n'a pu l'obtenir, ne le méritait pas.

LE COMTE

Ne le méritait pas ! moi ?

DON DIÈGUE

Vous.

LE COMTE

Ton impudence,

220 Téméraire vieillard, aura sa récompense.

Il lui donne un soufflet.

DON DIÈGUE

Achève, et prends ma vie après un tel affront,
Le premier dont ma race ait vu rougir son front.

Ils mettent l'épée à la main.

LE COMTE

Et que penses-tu faire avec tant de faiblesse ?

DON DIÈGUE

Ô Dieu ! ma force usée à ce besoin me laisse.

LE COMTE

Ton épée est à moi, mais tu serais trop vain 225
Si ce honteux trophée avait chargé ma main[1].
Adieu, fais lire au Prince, en dépit de l'envie,
Pour son instruction l'histoire de ta vie,
D'un insolent discours ce juste châtiment
Ne lui servira pas d'un petit ornement. 230

DON DIÈGUE

Épargnes-tu mon sang ?

LE COMTE

Mon âme est satisfaite,
Et mes yeux à ma main reprochent ta défaite.

DON DIÈGUE

Tu dédaignes ma vie !

LE COMTE

En arrêter le cours
Ne serait que hâter la Parque de trois jours.

1. Le Comte a fait sauter l'épée de la main de Don Diègue (v. 224) et ne daigne même pas la ramasser (v. 226).

SCÈNE CINQUIÈME

DON DIÈGUE, *seul.*

235 Ô rage, ô désespoir ! ô vieillesse ennemie !
N'ai-je donc tant vécu que pour cette infamie ?
Et ne suis-je blanchi dans les travaux guerriers
Que pour voir en un jour flétrir tant de lauriers ?
Mon bras qu'avec respect toute l'Espagne admire,
240 Mon bras qui tant de fois a sauvé cet Empire,
Tant de fois affermi le Trône de son Roi,
Trahit donc ma querelle[1], et ne fait rien pour moi ?
Ô cruel souvenir de ma gloire passée !
Œuvre de tant de jours en un jour effacée !
245 Nouvelle dignité fatale à mon bonheur,
Précipice élevé d'où tombe mon honneur,
Faut-il de votre éclat voir triompher le Comte,
Et mourir sans vengeance, ou vivre dans la honte ?
Comte, sois de mon Prince à présent Gouverneur,
250 Ce haut rang n'admet point un homme sans honneur,
Et ton jaloux orgueil par cet affront insigne
Malgré le choix du Roi m'en a su rendre indigne.
Et toi de mes exploits glorieux instrument,
Mais d'un corps tout de glace inutile ornement,
255 Fer, jadis tant à craindre, et qui dans cette offense
M'as servi de parade[2], et non pas de défense,
Va, quitte désormais le dernier des humains,
Passe pour me venger en de meilleures mains ;

1. *Querelle* : cause (du latin « querela », plainte, grief).
2. *Parade* : élément de parade, d'ostentation.

Si Rodrigue est mon fils, il faut que l'amour cède,
Et qu'une ardeur plus haute à ses flammes succède, 260
Mon honneur est le sien, et le mortel affront
Qui tombe sur mon chef rejaillit sur son front.

SCÈNE SIXIÈME

DON DIÈGUE, DON RODRIGUE

DON DIÈGUE

Rodrigue, as-tu du cœur ?

DON RODRIGUE

Tout autre que mon père
L'éprouverait[1] sur l'heure.

DON DIÈGUE

Agréable colère,
Digne ressentiment à ma douleur bien doux ! 265
Je reconnais mon sang à ce noble courroux,
Ma jeunesse revit en cette ardeur si prompte,
Viens mon fils, viens mon sang, viens réparer ma
[honte,
Viens me venger.

DON RODRIGUE

De quoi ?

DON DIÈGUE

D'un affront si cruel
Qu'à l'honneur de tous deux il porte un coup mortel, 270

1. En ferait l'expérience.

D'un soufflet. L'insolent en eût perdu la vie,
Mais mon âge a trompé ma généreuse envie,
Et ce fer que mon bras ne peut plus soutenir,
Je le remets au tien pour venger et punir.
275 Va contre un arrogant éprouver ton courage ;
Ce n'est que dans le sang qu'on lave un tel outrage,
Meurs, ou tue. Au surplus, pour ne te point flatter[1],
Je te donne à combattre un homme à redouter,
Je l'ai vu tout sanglant au milieu des batailles
280 Se faire un beau rempart de mille funérailles.

DON RODRIGUE

Son nom, c'est perdre temps en propos superflus.

DON DIÈGUE

Donc, pour te dire encor quelque chose de plus,
Plus que brave soldat, plus que grand Capitaine,
C'est...

DON RODRIGUE

De grâce achevez.

DON DIÈGUE

Le père de Chimène.

DON RODRIGUE

285 Le...

DON DIÈGUE

Ne réplique point, je connais ton amour,
Mais qui peut vivre infâme est indigne du jour,

1. *Flatter* : abuser, tromper.

Plus l'offenseur est cher, et plus grande est l'offense :
Enfin tu sais l'affront, et tu tiens la vengeance,
Je ne te dis plus rien, venge-moi, venge-toi,
Montre-toi digne fils d'un tel père que moi ; 290
Accablé des malheurs où le destin me range[1]
Je m'en vais les pleurer. Va, cours, vole, et nous
[venge.

SCÈNE SEPTIÈME

DON RODRIGUE, *seul*[2].

Percé jusques au fond du cœur
D'une atteinte imprévue aussi bien que mortelle,
Misérable vengeur d'une juste querelle, 295
Et malheureux objet d'une injuste rigueur,

1. *Range* : réduit, soumet.

2. Les stances, dont l'origine remonte à la fin du XVIe siècle, jouissent d'une grande vogue dans le théâtre tragique des années 1630-1660. Elles traduisent l'irruption du lyrisme, le moment où le personnage, en rupture avec l'action, laisse parler son cœur. Cette rupture est marquée par la recherche formelle : organisation en strophes, hétérométrie, combinaison de rimes. Corneille leur donne ici une longueur inaccoutumée et, par la place privilégiée qu'il leur réserve en fin d'acte et par la répétition de la rime-refrain peine/Chimène qui les scande, traduit toute l'importance qu'il entend donner à cette forme particulière de la rhétorique tragique. Il les utilise d'ailleurs une seconde fois dans la pièce (stances de l'Infante, V, 2) et les reprendra dans *Polyeucte* (IV, 2). Mais malgré la défense qu'il en présentera dans son *Examen d'Andromède* en 1660 et l'emploi qu'en fera encore Racine dans sa première pièce (*La Thébaïde*, 1664, V, 1), il ne pourra empêcher que celles-ci, jugées trop conventionnelles, ne tombent en désuétude après cette date.

Je demeure immobile, et mon âme abattue
Cède au coup qui me tue.
Si près de voir mon feu récompensé,
300 Ô Dieu ! l'étrange peine !
En cet affront mon père est l'offensé,
Et l'offenseur le père de Chimène.

Que je sens de rudes combats !
Contre mon propre honneur mon amour s'intéresse,
305 Il faut venger un père, et perdre une maîtresse,
L'un échauffe mon cœur, l'autre retient mon bras,
Réduit au triste choix ou de trahir ma flamme,
Ou de vivre en infâme,
Des deux côtés mon mal est infini.
310 Ô Dieu ! l'étrange peine !
Faut-il laisser un affront impuni ?
Faut-il punir le père de Chimène ?

Père, maîtresse, honneur, amour,
Illustre tyrannie, adorable contrainte,
315 Par qui de ma raison la lumière est éteinte,
À mon aveuglement rendez un peu de jour.
Cher et cruel espoir d'une âme généreuse
Mais ensemble amoureuse,
Noble ennemi de mon plus grand bonheur
320 Qui fais toute ma peine,
M'es-tu donné pour venger mon honneur ?
M'es-tu donné pour perdre ma Chimène[1] ?

1. Ces interrogations s'adressent à l'épée que son père lui a remise.

Il vaut mieux courir au trépas ;
Je dois à[1] ma maîtresse aussi bien qu'à mon père,
Qui venge cet affront irrite sa colère, 325
Et qui peut le souffrir, ne la mérite pas.
Prévenons la douleur d'avoir failli contre elle,
Qui nous serait mortelle.
Tout m'est fatal, rien ne me peut guérir,
Ni soulager ma peine, 330
Allons, mon âme, et puisqu'il faut mourir,
Mourons du moins sans offenser Chimène.

Mourir sans tirer ma raison[2] !
Rechercher un trépas si mortel à ma gloire !
Endurer que l'Espagne impute à ma mémoire 335
D'avoir mal soutenu l'honneur de ma maison !
Respecter un amour dont mon âme égarée
Voit la perte assurée !
N'écoutons plus ce penser suborneur
Qui ne sert qu'à ma peine, 340
Allons, mon bras, du moins sauvons l'honneur,
Puisque aussi bien il faut perdre Chimène.

Oui, mon esprit s'était déçu,
Dois-je pas à mon père avant qu'à ma maîtresse ?
Que je meure au combat, ou meure de tristesse, 345
Je rendrai mon sang pur comme je l'ai reçu.
Je m'accuse déjà de trop de négligence,
Courons à la vengeance,

1. *Je dois à* : j'ai des devoirs, des obligations envers.
2. *Tirer ma raison* : obtenir réparation, vengeance.

Et tous[1] honteux d'avoir tant balancé,
350 Ne soyons plus en peine
(Puisque aujourd'hui mon père est l'offensé)
Si l'offenseur est père de Chimène.

1. L'accord du « tout » adverbial se pratique au masculin jusqu'à la fin du siècle, malgré la condamnation de Vaugelas.

ACTE II

SCÈNE PREMIÈRE

DON ARIAS, LE COMTE

LE COMTE

Je l'avoue entre nous, quand je lui fis l'affront
J'eus le sang un peu chaud, et le bras un peu prompt,
Mais puisque c'en est fait, le coup est sans remède. 355

DON ARIAS

Qu'aux volontés du Roi ce grand courage cède,
Il y prend grande part[1], et son cœur irrité
Agira contre vous de pleine autorité.
Aussi vous n'avez point de valable défense :
Le rang de l'offensé, la grandeur de l'offense, 360
Demandent des devoirs et des submissions[2]
Qui passent le commun des satisfactions[3].

1. *Il y prend grande part* : il fait grand cas de cette affaire.
2. *Submissions* : « S'emploie quelquefois au pluriel pour marquer les respects qu'un inférieur rend à ceux qui sont au-dessus de lui » (Académie).
3. *Le commun des satisfactions* : les excuses, les réparations

LE COMTE

Qu'il prenne donc ma vie, elle est en sa puissance.

DON ARIAS

Un peu moins de transport, et plus d'obéissance,
365 D'un Prince qui vous aime apaisez le courroux,
Il a dit : Je le veux. Désobéirez-vous ?

LE COMTE

Monsieur, pour conserver ma gloire et mon estime[1]
Désobéir un peu n'est pas un si grand crime.
Et quelque grand qu'il fût, mes services présents
370 Pour le faire abolir[2] sont plus que suffisants.

DON ARIAS

Quoi qu'on fasse d'illustre et de considérable
Jamais à son sujet un Roi n'est redevable :
Vous vous flattez beaucoup, et vous devez savoir
Que qui sert bien son Roi ne fait que son devoir.
375 Vous vous perdrez, Monsieur, sur[3] cette confiance.

---

ordinaires. Selon la tradition, c'est ici que figuraient quatre vers prononcés par le Comte, que Corneille aurait retirés après les premières représentations, par suite de l'invitation au duel à laquelle ils semblaient prêter :

Les satisfactions n'apaisent point une âme,
Qui les reçoit n'a rien, qui les fait se diffame,
Et de pareils accords l'effet le plus commun
Est de perdre d'honneur deux hommes au lieu d'un.

1. L'estime renvoie à l'opinion que le Comte a de lui-même, la gloire à celle que les autres ont de lui.

2. *Abolir* : amnistier, effacer. Terme judiciaire renvoyant au pouvoir discrétionnaire du Prince de remettre tout crime sans avoir à justifier sa décision.

3. *Sur* : en se reposant sur, en se fiant à.

LE COMTE

Je ne vous en croirai qu'après l'expérience.

DON ARIAS

Vous devez redouter la puissance d'un Roi.

LE COMTE

Un jour seul ne perd pas un homme tel que moi.
Que toute sa grandeur s'arme pour mon supplice,
Tout l'État périra plutôt que je périsse. 380

DON ARIAS

Quoi ? vous craignez si peu le pouvoir souverain ?

LE COMTE

D'un sceptre qui sans moi tomberait de sa main ?
Il a trop d'intérêt lui-même en ma personne,
Et ma tête en tombant ferait choir sa couronne.

DON ARIAS

Souffrez que la raison remette vos esprits. 385
Prenez un bon conseil[1].

LE COMTE

Le conseil en est pris.

DON ARIAS

Que lui dirai-je enfin ? Je lui dois rendre compte.

LE COMTE

Que je ne puis du tout consentir à ma honte.

1. *Conseil* : dessein réfléchi, décision calculée (du latin « consilium », délibération).

DON ARIAS

Mais songez que les Rois veulent être absolus.

LE COMTE

390 Le sort en est jeté, Monsieur, n'en parlons plus.

DON ARIAS

Adieu donc, puisqu'en vain je tâche à vous résoudre ;
Tout couvert de lauriers, craignez encor la foudre[1].

LE COMTE

Je l'attendrai sans peur.

DON ARIAS

Mais non pas sans effet.

LE COMTE

Nous verrons donc par là Don Diègue satisfait[2].

Don Arias rentre.

395 Je m'étonne fort peu de menaces pareilles.
Dans les plus grands périls je fais plus de merveilles,
Et quand l'honneur y va[3], les plus cruels trépas
Présentés à mes yeux ne m'ébranleraient pas.

1. *Foudre* : le mot est indifféremment masculin et féminin au XVIIe siècle, mais une distinction tend à s'établir entre l'emploi réel (la foudre) et l'emploi figuré (le foudre), qui explique que Corneille, à partir de 1660, mette *le* foudre, voulant marquer l'allusion à la croyance antique qui considérait comme un prodige que le laurier, arbre sacré, puisse être frappé par la foudre.
2. *Satisfait* : obtenant satisfaction, réparation.
3. Quand il y va de l'honneur.

SCÈNE SECONDE

LE COMTE, DON RODRIGUE

DON RODRIGUE

À moi, Comte, deux mots.

LE COMTE

Parle.

DON RODRIGUE

Ôte-moi d'un doute.

Connais-tu bien Don Diègue ? 400

LE COMTE

Oui.

DON RODRIGUE

Parlons bas, écoute.

Sais-tu que ce vieillard fut la même vertu[1],
La vaillance, et l'honneur de son temps ? le sais-tu ?

LE COMTE

Peut-être.

DON RODRIGUE

Cette ardeur que dans les yeux je porte,
Sais-tu que c'est son sang ? le sais-tu ?

LE COMTE

Que m'importe ?

1. *La même vertu* : la vertu même.

DON RODRIGUE

405 À quatre pas d'ici je te le fais savoir.

LE COMTE

Jeune présomptueux.

DON RODRIGUE

Parle sans t'émouvoir[1].
Je suis jeune, il est vrai, mais aux âmes bien nées
La valeur n'attend pas le nombre des années.

LE COMTE

Mais t'attaquer à moi ! qui t'a rendu si vain,
410 Toi qu'on n'a jamais vu les armes à la main ?

DON RODRIGUE

Mes pareils à deux fois ne se font point connaître,
Et pour leurs coups d'essai veulent des coups de [maître.

LE COMTE

Sais-tu bien qui je suis ?

DON RODRIGUE

Oui, tout autre que moi
Au seul bruit de ton nom pourrait trembler d'effroi,
415 Mille et mille lauriers dont ta tête est couverte[2]
Semblent porter écrit le destin de ma perte,

1. *T'émouvoir* : t'exciter, te mettre en colère.
2. Les lauriers, déjà évoqués dans la scène précédente par Don Arias, sont remplacés par les palmes à partir de 1660, le vers devenant : « Les palmes dont je vois ta tête si couverte. »

J'attaque en téméraire un bras toujours vainqueur,
Mais j'aurai trop de force ayant assez de cœur,
À qui venge son père il n'est rien impossible,
Ton bras est invaincu, mais non pas invincible. 420

LE COMTE

Ce grand cœur qui paraît aux discours que tu tiens
Par tes yeux chaque jour se découvrait aux miens,
Et croyant voir en toi l'honneur de la Castille,
Mon âme avec plaisir te destinait ma fille.
Je sais ta passion, et suis ravi de voir 425
Que tous ses mouvements cèdent à ton devoir,
Qu'ils n'ont point affaibli cette ardeur magnanime,
Que ta haute vertu répond à mon estime,
Et que voulant pour gendre un Chevalier parfait
Je ne me trompais point au choix que j'avais fait. 430
Mais je sens que pour toi ma pitié s'intéresse,
J'admire ton courage, et je plains ta jeunesse.
Ne cherche point à faire un coup d'essai fatal,
Dispense ma valeur d'un combat inégal,
Trop peu d'honneur pour moi suivrait cette victoire, 435
À vaincre sans péril on triomphe sans gloire,
On te croirait toujours abattu sans effort,
Et j'aurais seulement le regret de ta mort.

DON RODRIGUE

D'une indigne pitié ton audace est suivie.
Qui m'ose ôter l'honneur craint de m'ôter la vie. 440

LE COMTE

Retire-toi d'ici.

DON RODRIGUE

Marchons sans discourir.

LE COMTE

Es-tu si las de vivre ?

DON RODRIGUE

As-tu peur de mourir ?

LE COMTE

Viens, tu fais ton devoir, et le fils dégénère
Qui survit un moment à l'honneur de son père.

SCÈNE TROISIÈME

L'INFANTE, CHIMÈNE, LÉONOR

L'INFANTE

445 Apaise, ma Chimène, apaise ta douleur,
Fais agir ta constance en ce coup de malheur,
Tu reverras le calme après ce faible orage,
Ton bonheur n'est couvert que d'un petit nuage,
Et tu n'as rien perdu pour le voir différer.

CHIMÈNE

450 Mon cœur outré d'ennuis n'ose rien espérer,
Un orage si prompt qui trouble une bonace[1]
D'un naufrage certain nous porte la menace.
Je n'en saurais douter, je péris dans le port.
J'aimais, j'étais aimée, et nos pères d'accord,

1. *Bonace* : mer d'huile, calme plat.

Et je vous en contais la première nouvelle 455
Au malheureux moment que naissait leur querelle,
Dont le récit fatal sitôt qu'on vous l'a fait
D'une si douce attente a ruiné l'effet.
Maudite ambition, détestable manie[1],
Dont les plus généreux souffrent la tyrannie, 460
Impitoyable honneur, mortel à mes plaisirs,
Que tu me vas coûter de pleurs et de soupirs !

L'INFANTE

Tu n'as dans leur querelle aucun sujet de craindre,
Un moment l'a fait naître, un moment va l'éteindre,
Elle a fait trop de bruit pour ne pas s'accorder, 465
Puisque déjà le Roi les veut accommoder,
Et de ma part mon âme à tes ennuis sensible
Pour en tarir la source y fera l'impossible.

CHIMÈNE

Les accommodements ne font rien en ce point,
Les affronts à l'honneur ne se réparent point, 470
En vain on fait agir la force, ou la prudence,
Si l'on guérit le mal, ce n'est qu'en apparence,
La haine que les cœurs conservent au-dedans
Nourrit des feux cachés, mais d'autant plus ardents.

L'INFANTE

Le saint nœud qui joindra Don Rodrigue et Chimène 475
Des pères ennemis dissipera la haine,
Et nous verrons bientôt votre amour le plus fort
Par un heureux Hymen étouffer ce discord[2].

1. *Manie* : folie, passion poussée à l'extrême.
2. *Discord* : désaccord. Même sens au v. 1622.

CHIMÈNE

Je le souhaite ainsi plus que je ne l'espère ;
480 Don Diègue est trop altier, et je connais mon père.
Je sens couler des pleurs que je veux retenir,
Le passé me tourmente, et je crains l'avenir.

L'INFANTE

Que crains-tu ? d'un vieillard l'impuissante
[faiblesse[1] ?

CHIMÈNE

Rodrigue a du courage.

L'INFANTE

Il a trop de jeunesse.

CHIMÈNE

485 Les hommes valeureux le sont du premier coup.

L'INFANTE

Tu ne dois pas pourtant le redouter beaucoup,
Il est trop amoureux pour te vouloir déplaire,
Et deux mots de ta bouche arrêtent sa colère.

CHIMÈNE

S'il ne m'obéit point, quel comble à mon ennui !
490 Et s'il peut m'obéir, que dira-t-on de lui ?
Souffrir un tel affront étant né Gentilhomme !

1. Le texte de 1682 modifie la ponctuation et, partant, le sens du vers : « Que crains-tu d'un vieillard l'impuissante faiblesse ? »

Soit qu'il cède, ou résiste au feu qui le consomme[1],
Mon esprit ne peut qu'être, ou honteux, ou confus[2],
De son trop de respect, ou d'un juste refus.

L'INFANTE

Chimène est généreuse, et quoique intéressée 495
Elle ne peut souffrir une lâche pensée !
Mais si jusques au jour de l'accommodement
Je fais mon prisonnier de ce parfait amant
Et que j'empêche ainsi l'effet de son courage,
Ton esprit amoureux n'aura-t-il point d'ombrage ? 500

CHIMÈNE

Ah ! Madame ! en ce cas je n'ai plus de souci.

SCÈNE QUATRIÈME

L'INFANTE, CHIMÈNE,
LÉONOR, LE PAGE

L'INFANTE

Page, cherchez Rodrigue, et l'amenez ici.

LE PAGE

Le Comte de Gormas et lui..

CHIMÈNE

Bon Dieu ! je tremble.

1. *Consomme* : consume. Les deux verbes sont pratiquement confondus au XVIIe siècle, malgré la condamnation de Vaugelas qui invite à les distinguer.
2. *Confus* : troublé totalement, bouleversé.

L'INFANTE

Parlez.

LE PAGE

De ce Palais ils sont sortis ensemble.

CHIMÈNE

505 Seuls ?

LE PAGE

Seuls, et qui semblaient tout bas se quereller.

CHIMÈNE

Sans doute[1] ils sont aux mains, il n'en faut plus [parler :
Madame, pardonnez à cette promptitude.

SCÈNE CINQUIÈME

L'INFANTE, LÉONOR

L'INFANTE

Hélas ! que dans l'esprit je sens d'inquiétude !
Je pleure ses malheurs, son amant me ravit,
510 Mon repos m'abandonne, et ma flamme revit.
Ce qui va séparer Rodrigue de Chimène
Avecque mon espoir fait renaître ma peine,
Et leur division que je vois à regret
Dans mon esprit charmé jette un plaisir secret.

1. *Sans doute* : sans nul doute, assurément.

LÉONOR

Cette haute vertu qui règne dans votre âme 515
Se rend-elle si tôt à cette lâche flamme ?

L'INFANTE

Ne la nomme point lâche à présent que chez moi
Pompeuse[1] et triomphante elle me fait la loi.
Porte-lui du respect puisqu'elle m'est si chère ;
Ma vertu la combat, mais malgré moi j'espère, 520
Et d'un si fol espoir mon cœur mal défendu
Vole après un amant que Chimène a perdu.

LÉONOR

Vous laissez choir ainsi ce glorieux courage,
Et la raison chez vous perd ainsi son usage ?

L'INFANTE

Ah ! qu'avec peu d'effet on entend la raison, 525
Quand le cœur est atteint d'un si charmant poison !
Alors que le malade aime sa maladie,
Il ne peut plus souffrir que l'on y remédie.

LÉONOR

Votre espoir vous séduit, votre mal vous est doux,
Mais toujours ce Rodrigue est indigne de vous. 530

L'INFANTE

Je ne le sais que trop, mais si ma vertu cède
Apprends comme l'amour flatte un cœur qu'il
[possède.

1. *Pompeuse* : glorieuse, éclatante.

Si Rodrigue une fois sort vainqueur du combat,
Si dessous sa valeur ce grand guerrier s'abat,
535 Je puis en faire cas, je puis l'aimer sans honte,
Que ne fera-t-il point s'il peut vaincre le Comte ?
J'ose m'imaginer qu'à ses moindres exploits
Les Royaumes entiers tomberont sous ses lois,
Et mon amour flatteur[1] déjà me persuade
540 Que je le vois assis au trône de Grenade,
Les Mores subjugués trembler en l'adorant,
L'Aragon recevoir ce nouveau conquérant,
Le Portugal se rendre, et ses nobles journées[2]
Porter delà les mers ses hautes destinées,
545 Au milieu de l'Afrique arborer ses lauriers :
Enfin tout ce qu'on dit des plus fameux guerriers,
Je l'attends de Rodrigue après cette victoire,
Et fais de son amour un sujet de ma gloire.

LÉONOR

Mais, Madame, voyez où vous portez son bras,
550 Ensuite[3] d'un combat qui peut-être n'est pas[4].

L'INFANTE

Rodrigue est offensé, le Comte a fait l'outrage,
Ils sont sortis ensemble, en faut-il davantage ?

LÉONOR

Je veux que ce combat demeure pour certain.
Votre esprit va-t-il point bien vite pour sa main ?

1. *Flatteur* : trompeur.
2. *Journées* : exploits (voir n. 1, p. 56).
3. *Ensuite* : à la suite de.
4. *N'est pas* : n'a pas et n'aura pas lieu.

L'INFANTE

Que veux-tu ? je suis folle, et mon esprit s'égare, 555
Mais c'est le moindre mal que l'amour me prépare,
Viens dans mon cabinet consoler mes ennuis,
Et ne me quitte point dans le trouble où je suis.

SCÈNE SIXIÈME

LE ROI, DON ARIAS, DON SANCHE, DON ALONSE.

LE ROI

Le Comte est donc si vain, et si peu raisonnable !
Ose-t-il croire encor son crime pardonnable ? 560

DON ARIAS

Je l'ai de votre part longtemps entretenu,
J'ai fait mon pouvoir[1], Sire, et n'ai rien obtenu.

LE ROI

Justes Cieux ! Ainsi donc un sujet téméraire
A si peu de respect, et de soin de me plaire !
Il offense Don Diègue, et méprise son Roi ! 565
Au milieu de ma Cour il me donne la loi !
Qu'il soit brave guerrier, qu'il soit grand Capitaine,
Je lui rabattrai bien cette humeur si hautaine,
Fût-il la valeur même, et le Dieu des combats,
Il verra ce que c'est que de n'obéir pas. 570
Je sais trop comme il faut dompter cette insolence,
Je l'ai voulu d'abord traiter sans violence,

1. *Mon pouvoir* : mon possible.

Mais puisqu'il en abuse, allez dès aujourd'hui,
Soit qu'il résiste, ou non, vous assurer de lui[1].

Don Alonse rentre.

DON SANCHE

575 Peut-être un peu de temps le rendrait moins rebelle,
On l'a pris tout bouillant encor de sa querelle,
Sire, dans la chaleur d'un premier mouvement
Un cœur si généreux se rend malaisément;
On voit bien qu'on a tort, mais une âme si haute
580 N'est pas si tôt réduite à confesser sa faute.

LE ROI

Don Sanche, taisez-vous, et soyez averti
Qu'on se rend criminel à prendre son parti

DON SANCHE

J'obéis, et me tais, mais, de grâce encor, Sire,
Deux mots en sa défense.

LE ROI

Et que pourrez-vous dire?

DON SANCHE

585 Qu'une âme accoutumée aux grandes actions
Ne se peut abaisser à des submissions[2]:
Elle n'en conçoit point qui s'expliquent[3] sans honte,
Et c'est contre ce mot qu'a résisté le Comte.
Il trouve en son devoir un peu trop de rigueur,

1. *Vous assurer de lui*: l'arrêter.
2. *Submissions*: marques de respect (voir n. 2, p. 67).
3. *S'expliquent*: se déclarent, s'expriment.

Et vous obéirait s'il avait moins de cœur. 590
Commandez que son bras, nourri dans les alarmes[1],
Répare cette injure à la pointe des armes,
Il satisfera[2], Sire, et vienne qui voudra,
Attendant qu'il l'ait su, voici qui[3] répondra.

LE ROI

Vous perdez le respect, mais je pardonne à l'âge, 595
Et j'estime l'ardeur en un jeune courage;
Un Roi dont la prudence a de meilleurs objets
Est meilleur ménager du sang de ses sujets.
Je veille pour les miens, mes soucis les conservent,
Comme le chef a soin des membres qui le servent: 600
Ainsi votre raison n'est pas raison pour moi;
Vous parlez en soldat, je dois agir en Roi,
Et quoi qu'il faille dire, et quoi qu'il veuille croire,
Le Comte à m'obéir ne peut perdre sa gloire.
D'ailleurs l'affront me touche, il a perdu d'honneur 605
Celui que de mon fils j'ai fait le Gouverneur,
Et par ce trait hardi d'une insolence extrême
Il s'est pris à mon choix, il s'est pris à moi-même.
C'est moi qu'il satisfait en réparant ce tort.
N'en parlons plus. Au reste on nous menace fort: 610
Sur un avis[4] reçu je crains une surprise.

1. *Alarmes*: appels aux armes, «émotion causée par les ennemis» (Académie).
2. *Satisfera*: fera réparation. Même sens au v. 609.
3. *Qui*: ce qui. Don Sanche désigne son épée, et s'offre au service du roi.
4. *Avis*: nouvelle, information. Même sens au v. 634.

DON ARIAS

Les Mores contre vous font-ils quelque entreprise[1] ?
S'osent-ils préparer à des efforts nouveaux ?

LE ROI

Vers la bouche du fleuve on a vu leurs vaisseaux,
615 Et vous n'ignorez pas qu'avec fort peu de peine
Un flux de pleine mer jusqu'ici les amène.

DON ARIAS

Tant de combats perdus leur ont ôté le cœur
D'attaquer désormais un si puissant vainqueur.

LE ROI

N'importe, ils ne sauraient qu'avecque jalousie
620 Voir mon sceptre aujourd'hui régir l'Andalousie,
Et ce pays si beau que j'ai conquis sur eux
Réveille à tous moments leurs desseins généreux :
C'est l'unique raison qui m'a fait dans Séville[2]
Placer depuis dix ans le trône de Castille,
625 Pour les voir de plus près, et d'un ordre plus prompt
Renverser aussitôt ce qu'ils entreprendront.

1. *Entreprise* : violence, attaque.

2. Comme Corneille le rappelle dans son *Examen du Cid*, la réalité historique a été ici sacrifiée à la volonté de préserver l'unité de lieu : « Je l'ai placée dans Séville, bien que Don Fernand n'en ait jamais été le maître ; et j'ai été obligé à cette falsification pour former quelque vraisemblance à la descente des Mores, dont l'armée ne pouvait venir si vite par terre que par eau » (p. 186-187). Guillén de Castro situait pour sa part l'action à Burgos, et le combat contre les Mores dans les montagnes.

DON ARIAS

Sire, ils ont trop appris aux dépens de leurs têtes
Combien votre présence assure vos conquêtes :
Vous n'avez rien à craindre.

LE ROI

Et rien à négliger :
Le trop de confiance attire le danger, 630
Et le même ennemi que l'on vient de détruire,
S'il sait prendre son temps, est capable de nuire.
Don Alonse revient.
Toutefois j'aurais tort de jeter dans les cœurs,
L'avis étant mal sûr, de Paniques terreurs,
L'effroi que produirait cette alarme inutile 635
Dans la nuit qui survient troublerait trop la ville :
Puisqu'on fait bonne garde aux murs et sur le port,
Il suffit pour ce soir[1].

DON ALONSE

Sire, le Comte est mort,
Don Diègue par son fils a vengé son offense.

LE ROI

Dès que j'ai su l'affront, j'ai prévu la vengeance, 640
Et j'ai voulu dès lors prévenir ce malheur.

DON ALONSE

Chimène à vos genoux apporte sa douleur,
Elle vient toute en pleurs vous demander justice.

1. Le texte de 1660-1682 fait se terminer ici la scène et, sur l'intervention de Don Alonse, commence une scène VII, la scène VII devenant à son tour scène VIII.

LE ROI

Bien qu'à ses déplaisirs mon âme compatisse,
645 Ce que le Comte a fait semble avoir mérité
Ce juste châtiment de sa témérité.
Quelque juste pourtant que puisse être sa peine,
Je ne puis sans regret perdre un tel Capitaine ;
Après un long service à mon État rendu,
650 Après son sang pour moi mille fois répandu,
À quelques sentiments que son orgueil m'oblige,
Sa perte m'affaiblit, et son trépas m'afflige.

SCÈNE SEPTIÈME

LE ROI, DON DIÈGUE, CHIMÈNE,
DON SANCHE, DON ARIAS, DON ALONSE

CHIMÈNE

Sire, Sire, justice.

DON DIÈGUE

Ah ! Sire, écoutez-nous.

CHIMÈNE

Je me jette à vos pieds.

DON DIÈGUE

J'embrasse vos genoux.

CHIMÈNE

655 Je demande justice.

DON DIÈGUE

Entendez ma défense.

CHIMÈNE

Vengez-moi d'une mort…

DON DIÈGUE

Qui punit l'insolence.

CHIMÈNE

Rodrigue, Sire…

DON DIÈGUE

A fait un coup d'homme de bien.

CHIMÈNE

Il a tué mon père.

DON DIÈGUE

Il a vengé le sien.

CHIMÈNE

Au sang de ses sujets un Roi doit la justice.

DON DIÈGUE

Une vengeance juste est sans peur du supplice. 660

LE ROI

Levez-vous l'un et l'autre, et parlez à loisir.
Chimène, je prends part à votre déplaisir,
D'une égale douleur je sens mon âme atteinte,
Vous[1] parlerez après, ne troublez pas sa plainte.

1. *Vous* s'adresse à Don Diègue.

CHIMÈNE

665 Sire, mon père est mort, mes yeux ont vu son sang
Couler à gros bouillons de son généreux flanc,
Ce sang qui tant de fois garantit vos murailles,
Ce sang qui tant de fois vous gagna des batailles,
Ce sang qui tout sorti fume encor de courroux
670 De se voir répandu pour d'autres que pour vous,
Qu'au milieu des hasards[1] n'osait verser la guerre,
Rodrigue en votre Cour vient d'en couvrir la terre,
Et pour son coup d'essai son indigne attentat
D'un si ferme soutien a privé votre État,
675 De vos meilleurs soldats abattu l'assurance,
Et de vos ennemis relevé l'espérance.
J'arrivai sur le lieu sans force et sans couleur,
Je le trouvai sans vie. Excusez ma douleur,
Sire, la voix me manque à ce récit funeste
680 Mes pleurs et mes soupirs vous diront mieux le reste.

LE ROI

Prends courage, ma fille, et sache qu'aujourd'hui
Ton Roi te veut servir de père au lieu de lui.

CHIMÈNE

Sire, de trop d'honneur ma misère est suivie.
J'arrivai donc sans force, et le trouvai sans vie,
685 Il ne me parla point mais pour mieux m'émouvoir
Son sang sur la poussière écrivait mon devoir,
Ou plutôt sa valeur en cet état réduite
Me parlait par sa plaie et hâtait ma poursuite,
Et pour se faire entendre au plus juste des Rois

1. *Hasards* : risques, dangers.

Par cette triste bouche elle empruntait ma voix. 690
Sire, ne souffrez pas que sous votre puissance
Règne devant vos yeux une telle licence,
Que les plus valeureux avec impunité
Soient exposés aux coups de la témérité,
Qu'un jeune audacieux triomphe de leur gloire, 695
Se baigne dans leur sang, et brave leur mémoire,
Un si vaillant guerrier qu'on vient de vous ravir
Éteint, s'il n'est vengé, l'ardeur de vous servir.
Enfin mon père est mort, j'en demande vengeance,
Plus pour votre intérêt que pour mon allégeance[1] ; 700
Vous perdez en la mort d'un homme de son rang,
Vengez-la par une autre, et le sang par le sang,
Sacrifiez Don Diègue, et toute sa famille,
À vous, à votre peuple, à toute la Castille,
Le Soleil qui voit tout ne voit rien sous les Cieux 705
Qui vous puisse payer un sang si précieux.

LE ROI

Don Diègue, répondez.

DON DIÈGUE

Qu'on est digne d'envie
Quand avecque la force on perd aussi la vie,
Sire, et que l'âge apporte aux hommes généreux
Avecque sa faiblesse un destin malheureux ! 710
Moi dont les longs travaux ont acquis tant de gloire,
Moi que jadis partout a suivi la victoire,
Je me vois aujourd'hui pour avoir trop vécu

1. *Allégeance* : soulagement, allégement. Ainsi employé, « il est vieux » (Académie).

Recevoir un affront, et demeurer vaincu.
715 Ce que n'a pu jamais combat, siège, embuscade,
Ce que n'a pu jamais Aragon, ni Grenade,
Ni tous vos ennemis, ni tous mes envieux,
L'orgueil dans votre Cour l'a fait presque à vos yeux,
Et souillé sans respect l'honneur de ma vieillesse,
720 Avantagé de l'âge, et fort de ma faiblesse.
Sire, ainsi ces cheveux blanchis sous le harnois[1],
Ce sang pour vous servir prodigué tant de fois,
Ce bras jadis l'effroi d'une armée ennemie,
Descendaient au tombeau tous[2] chargés d'infamie,
725 Si je n'eusse produit un fils digne de moi,
Digne de son pays, et digne de son Roi.
Il m'a prêté sa main, il a tué le Comte,
Il m'a rendu l'honneur, il a lavé ma honte
Si montrer du courage et du ressentiment,
730 Si venger un soufflet mérite un châtiment,
Sur moi seul doit tomber l'éclat de la tempête :
Quand le bras a failli l'on en punit la tête ;
Du crime glorieux qui cause nos débats,
Sire, j'en suis la tête, il n'en est que le bras,
735 Si Chimène se plaint qu'il a tué son père,
Il ne l'eût jamais fait, si je l'eusse pu faire.
Immolez donc ce chef que les ans vont ravir,
Et conservez pour vous le bras qui peut servir,

1. *Harnois* : « L'armure complète d'un homme d'armes. En ce sens, il vieillit au propre, et n'a presque plus d'usage que dans ces façons de parler figurées : ... *Blanchir sous le harnois*, pour dire : Vieillir dans le métier des armes » (Académie). Même sens au v. 1630.

2. *Tous* : orthographe du XVIIe siècle pour tout (voir n. 1, p. 66).

Aux dépens de mon sang satisfaites[1] Chimène,
Je n'y résiste point, je consens à ma peine, 740
Et loin de murmurer d'un injuste décret
Mourant sans déshonneur je mourrai sans regret.

LE ROI

L'affaire est d'importance et, bien considérée,
Mérite en plein conseil d'être délibérée.
Don Sanche, remettez Chimène en sa maison, 745
Don Diègue aura ma Cour et sa foi pour prison.
Qu'on me cherche son fils. Je vous ferai justice.

CHIMÈNE

Il est juste, grand Roi, qu'un meurtrier périsse

LE ROI

Prends du repos, ma fille, et calme tes douleurs.

CHIMÈNE

M'ordonner du repos, c'est croître mes malheurs. 750

1. *Satisfaites* : donnez satisfaction, réparation à.

ACTE III

SCÈNE PREMIÈRE

DON RODRIGUE, ELVIRE

ELVIRE

Rodrigue, qu'as-tu fait ? où viens-tu, misérable ?

DON RODRIGUE

Suivre le triste cours de mon sort déplorable.

ELVIRE

Où prends-tu cette audace et ce nouvel orgueil
De paraître en des lieux que tu remplis de deuil ?
755 Quoi ? viens-tu jusqu'ici braver l'ombre du Comte ?
Ne l'as-tu pas tué ?

DON RODRIGUE

Sa vie était ma honte,
Mon honneur de ma main a voulu cet effort.

ELVIRE

Mais chercher ton asile en la maison du mort !
Jamais un meurtrier en fit-il son refuge ?

DON RODRIGUE

Jamais un meurtrier s'offrit-il à son Juge ? 760
Ne me regarde plus d'un visage étonné,
Je cherche le trépas après l'avoir donné,
Mon Juge est mon amour, mon Juge est ma Chimène,
Je mérite la mort de mériter sa haine,
Et j'en viens recevoir comme un bien souverain, 765
Et l'arrêt de sa bouche, et le coup de sa main.

ELVIRE

Fuis plutôt de ses yeux, fuis de sa violence,
À ses premiers transports dérobe ta présence ;
Va, ne t'expose point aux premiers mouvements
Que poussera[1] l'ardeur de ses ressentiments. 770

DON RODRIGUE

Non, non, ce cher objet à qui j'ai pu déplaire
Ne peut pour mon supplice avoir trop de colère,
Et d'un heur sans pareil je me verrai combler
Si pour mourir plutôt[2] je la puis redoubler.

ELVIRE

Chimène est au Palais de pleurs toute baignée, 775
Et n'en reviendra point que bien accompagnée :

1. *Poussera* : fera naître, produira.
2. *Plutôt* : plus tôt, plus vite.

Rodrigue, fuis de grâce, ôte-moi de souci,
Que ne dira-t-on point si l'on te voit ici ?
Veux-tu qu'un médisant l'accuse en sa misère
780 D'avoir reçu chez soi l'assassin de son père ?
Elle va revenir, elle vient, je la vois.
Du moins pour son honneur, Rodrigue, cache-toi.

Il se cache[1].

SCÈNE SECONDE

DON SANCHE, CHIMÈNE, ELVIRE

DON SANCHE

Oui, Madame, il vous faut de sanglantes victimes,
Votre colère est juste, et vos pleurs légitimes,
785 Et je n'entreprends pas à force de parler,
Ni de vous adoucir, ni de vous consoler.
Mais si de vous servir je puis être capable,
Employez mon épée à punir le coupable,
Employez mon amour à venger cette mort,
790 Sous vos commandements mon bras sera trop fort.

CHIMÈNE

Malheureuse !

DON SANCHE

Madame, acceptez mon service.

CHIMÈNE

J'offenserais le Roi, qui m'a promis justice.

1. L'indication scénique est supprimée en 1660-1682.

DON SANCHE

Vous savez qu'elle marche avec tant de langueur
Que bien souvent le crime échappe à sa longueur,
Son cours lent et douteux fait trop perdre de larmes ; 795
Souffrez qu'un Chevalier vous venge par les armes,
La voie en est plus sûre, et plus prompte à punir.

CHIMÈNE

C'est le dernier remède, et s'il y faut venir,
Et que de mes malheurs cette pitié vous dure,
Vous serez libre alors de venger mon injure. 800

DON SANCHE

C'est l'unique bonheur où mon âme prétend,
Et pouvant l'espérer je m'en vais trop content.

SCÈNE TROISIÈME

CHIMÈNE, ELVIRE

CHIMÈNE

Enfin je me vois libre, et je puis sans contrainte
De mes vives douleurs te faire voir l'atteinte,
Je puis donner passage à mes tristes soupirs, 805
Je puis t'ouvrir mon âme, et tous mes déplaisirs.
Mon père est mort, Elvire, et la première épée
Dont s'est armé Rodrigue a sa trame coupée[1]

1. *A sa trame coupée* : a coupé le fil de sa vie. L'accord par proximité du participe, quoique non grammatical, est une licence ancienne que s'autorisaient les écrivains, en particulier pour obtenir une rime féminine.

Pleurez, pleurez mes yeux, et fondez-vous en eau,
810 La moitié de ma vie a mis l'autre au tombeau,
Et m'oblige à venger, après ce coup funeste,
Celle que je n'ai plus, sur celle qui me reste.

ELVIRE

Reposez-vous, Madame.

CHIMÈNE

Ah ! que mal à propos
Ton avis importun m'ordonne du repos !
815 Par où sera jamais mon âme satisfaite
Si je pleure ma perte, et la main qui l'a faite ?
Et que puis-je espérer qu'un tourment éternel
Si je poursuis un crime aimant le criminel ?

ELVIRE

Il vous prive d'un père, et vous l'aimez encore !

CHIMÈNE

820 C'est peu de dire aimer, Elvire, je l'adore :
Ma passion s'oppose à mon ressentiment,
Dedans mon ennemi je trouve mon amant,
Et je sens qu'en dépit de toute ma colère
Rodrigue dans mon cœur combat encor mon père.
825 Il l'attaque, il le presse, il cède, il se défend,
Tantôt fort, tantôt faible, et tantôt triomphant :
Mais en ce dur combat de colère et de flamme
Il déchire mon cœur sans partager mon âme,
Et quoi que mon amour ait sur moi de pouvoir

1. Quelque pouvoir que mon amour ait sur moi.

Je ne consulte point pour suivre mon devoir, 830
Je cours sans balancer où mon honneur m'oblige,
Rodrigue m'est bien cher, son intérêt m'afflige,
Mon cœur prend son parti, mais contre leur effort
Je sais que je suis fille, et que mon père est mort.

ELVIRE

Pensez-vous le poursuivre ? 835

CHIMÈNE

Ah ! cruelle pensée,
Et cruelle poursuite où je me vois forcée !
Je demande sa tête, et crains de l'obtenir,
Ma mort suivra la sienne, et je le veux punir.

ELVIRE

Quittez, quittez, Madame, un dessein si tragique,
Ne vous imposez point de loi si tyrannique. 840

CHIMÈNE

Quoi ? J'aurai vu mourir mon père entre mes bras
Son sang criera vengeance et je ne l'orrai[1] pas !
Mon cœur honteusement surpris par d'autres charmes
Croira ne lui devoir que d'impuissantes larmes !
Et je pourrai souffrir qu'un amour suborneur 845
Dans un lâche silence étouffe mon honneur !

ELVIRE

Madame, croyez-moi, vous serez excusable
De conserver pour vous un homme incomparable,

1. *Orrai* : entendrai (futur du verbe ouïr).

Un amant si chéri ; vous avez assez fait,
850 Vous avez vu le Roi, n'en pressez point d'effet,
Ne vous obstinez point en cette humeur étrange.

CHIMÈNE

Il y va de ma gloire, il faut que je me venge,
Et de quoi que nous flatte un désir amoureux,
Toute excuse est honteuse aux esprits généreux.

ELVIRE

855 Mais vous aimez Rodrigue, il ne vous peut déplaire.

CHIMÈNE

Je l'avoue.

ELVIRE

Après tout que pensez-vous donc faire ?

CHIMÈNE

Pour conserver ma gloire, et finir mon ennui,
Le poursuivre, le perdre, et mourir après lui.

SCÈNE QUATRIÈME

DON RODRIGUE, CHIMÈNE, ELVIRE

DON RODRIGUE

Eh bien, sans vous donner la peine de poursuivre,
860 Saoulez-vous du plaisir de m'empêcher de vivre.

CHIMÈNE

Elvire, où sommes-nous ? et qu'est-ce que je vois ?
Rodrigue en ma maison ! Rodrigue devant moi !

DON RODRIGUE

N'épargnez point mon sang, goûtez sans résistance
La douceur de ma perte et de votre vengeance.

CHIMÈNE

Hélas ! 865

DON RODRIGUE

Écoute-moi.

CHIMÈNE

Je me meurs.

DON RODRIGUE

Un moment.

CHIMÈNE

Va, laisse-moi mourir.

DON RODRIGUE

Quatre mots seulement,
Après ne me réponds qu'avecque cette épée.

CHIMÈNE

Quoi ? du sang de mon père encor toute trempée !

DON RODRIGUE

Ma Chimène.

CHIMÈNE

Ôte-moi cet objet odieux
870 Qui reproche ton crime et ta vie à mes yeux.

DON RODRIGUE

Regarde-le plutôt pour exciter ta haine,
Pour croître ta colère, et pour hâter ma peine.

CHIMÈNE

Il est teint de mon sang.

DON RODRIGUE

Plonge-le dans le mien,
Et fais-lui perdre ainsi la teinture du tien.

CHIMÈNE

875 Ah ! quelle cruauté, qui tout en un jour tue
Le père par le fer, la fille par la vue !
Ôte-moi cet objet, je ne le puis souffrir,
Tu veux que je t'écoute et tu me fais mourir.

DON RODRIGUE

Je fais ce que tu veux, mais sans quitter l'envie
880 De finir par tes mains ma déplorable vie ;
Car enfin n'attends pas de mon affection
Un lâche repentir d'une bonne action :
De la main de ton père un coup irréparable
Déshonorait du mien la vieillesse honorable,
885 Tu sais comme un soufflet touche un homme de [cœur ;
J'avais part à l'affront, j'en ai cherché l'auteur,
Je l'ai vu, j'ai vengé mon honneur et mon père.

Je le ferais encor, si j'avais à le faire.
Ce n'est pas qu'en effet contre mon père et moi
Ma flamme assez longtemps n'ait combattu pour toi : 890
Juge de son pouvoir ; dans une telle offense
J'ai pu douter encor si j'en prendrais vengeance,
Réduit à te déplaire, ou souffrir un affront,
J'ai retenu ma main, j'ai cru mon bras trop prompt,
Je me suis accusé de trop de violence : 895
Et ta beauté sans doute emportait la balance,
Si je n'eusse opposé contre tous tes appas
Qu'un homme sans honneur ne te méritait pas,
Qu'après m'avoir chéri quand je vivais sans blâme
Qui m'aima généreux, me haïrait infâme, 900
Qu'écouter ton amour, obéir à sa voix,
C'était m'en rendre indigne et diffamer ton choix.
Je te le dis encore, et veux, tant que j'expire,
Sans cesse le penser et sans cesse le dire :
Je t'ai fait une offense, et j'ai dû m'y porter, 905
Pour effacer ma honte et pour te mériter.
Mais, quitte envers l'honneur, et quitte envers mon
[père,
C'est maintenant à toi que je viens satisfaire[1],
C'est pour t'offrir mon sang qu'en ce lieu tu me vois,
J'ai fait ce que j'ai dû, je fais ce que je dois. 910
Je sais qu'un père mort t'arme contre mon crime,
Je ne t'ai pas voulu dérober ta victime,
Immole avec courage au sang qu'il a perdu
Celui qui met sa gloire à l'avoir répandu.

1. *Satisfaire* : apporter réparation.

CHIMÈNE

915 Ah Rodrigue ! il est vrai, quoique ton ennemie,
Je ne te puis blâmer d'avoir fui l'infamie,
Et de quelque façon qu'éclatent mes douleurs,
Je ne t'accuse point, je pleure mes malheurs.
Je sais ce que l'honneur, après un tel outrage,
920 Demandait à l'ardeur d'un généreux courage,
Tu n'as fait le devoir que d'un homme de bien ;
Mais aussi, le faisant, tu m'as appris le mien.
Ta funeste valeur m'instruit par ta victoire ;
Elle a vengé ton père et soutenu ta gloire,
925 Même soin me regarde, et j'ai, pour m'affliger,
Ma gloire à soutenir, et mon père à venger.
Hélas ! ton intérêt ici me désespère.
Si quelque autre malheur m'avait ravi mon père,
Mon âme aurait trouvé dans le bien de te voir
930 L'unique allégement qu'elle eût pu recevoir,
Et contre ma douleur j'aurais senti des charmes
Quand une main si chère eût essuyé mes larmes.
Mais il me faut te perdre après l'avoir perdu ;
Et pour mieux tourmenter mon esprit éperdu,
935 Avec tant de rigueur mon astre me domine,
Qu'il me faut travailler moi-même à ta ruine ;
Car enfin n'attends pas de mon affection
De lâches sentiments pour ta punition :
De quoi qu'en ta faveur notre amour m'entretienne
940 Ma générosité doit répondre à la tienne,
Tu t'es en m'offensant montré digne de moi,
Je me dois par ta mort montrer digne de toi.

DON RODRIGUE

Ne diffère donc plus ce que l'honneur t'ordonne,
Il demande ma tête et je te l'abandonne,
Fais-en un sacrifice à ce noble intérêt, 945
Le coup m'en sera doux aussi bien que l'arrêt.
Attendre après mon crime une lente justice
C'est reculer ta gloire autant que mon supplice,
Je mourrai trop heureux mourant d'un coup si beau.

CHIMÈNE

Va, je suis ta partie[1], et non pas ton bourreau. 950
Si tu m'offres ta tête, est-ce à moi de la prendre ?
Je la dois attaquer, mais tu dois la défendre,
C'est d'un autre que toi qu'il me faut l'obtenir
Et je dois te poursuivre et non pas te punir.

DON RODRIGUE

De quoi qu'en ma faveur notre amour t'entretienne, 955
Ta générosité doit répondre à la mienne.
Et pour venger un père emprunter d'autres bras,
Ma Chimène, crois-moi, c'est n'y répondre pas :
Ma main seule du mien a su venger l'offense,
Ta main seule du tien doit prendre la vengeance. 960

CHIMÈNE

Cruel, à quel propos sur ce point t'obstiner ?
Tu t'es vengé sans aide et tu m'en veux donner !
Je suivrai ton exemple, et j'ai trop de courage
Pour souffrir qu'avec toi ma gloire se partage :
Mon père et mon honneur ne veulent rien devoir 965
Aux traits de ton amour, ni de ton désespoir.

1. *Partie* : au sens juridique, partie adverse dans un procès.

DON RODRIGUE

Rigoureux point d'honneur ! hélas ! quoi que je fasse
Ne pourrai-je à la fin obtenir cette grâce ?
Au nom d'un père mort, ou de notre amitié,
970 Punis-moi par vengeance, ou du moins par pitié,
Ton malheureux amant aura bien moins de peine
À mourir par ta main, qu'à vivre avec ta haine.

CHIMÈNE

Va, je ne te hais point.

DON RODRIGUE

Tu le dois.

CHIMÈNE

Je ne puis.

DON RODRIGUE

Crains-tu si peu le blâme, et si peu les faux bruits ?
975 Quand on saura mon crime et que ta flamme dure,
Que ne publieront point l'envie et l'imposture ?
Force-les au silence, et sans plus discourir
Sauve ta renommée en me faisant mourir.

CHIMÈNE

Elle éclate bien mieux en te laissant en vie,
980 Et je veux que la voix de la plus noire envie
Élève au Ciel ma gloire, et plaigne mes ennuis,
Sachant que je t'adore et que je te poursuis.
Va-t'en, ne montre plus à ma douleur extrême
Ce qu'il faut que je perde, encore que je l'aime,
985 Dans l'ombre de la nuit cache bien ton départ,

Si l'on te voit sortir, mon honneur court hasard,
La seule occasion qu'aura la médisance
C'est de savoir qu'ici j'ai souffert ta présence,
Ne lui donne point lieu d'attaquer ma vertu.

DON RODRIGUE

Que je meure. 990

CHIMÈNE

Va-t'en.

DON RODRIGUE

À quoi te résous-tu ?

CHIMÈNE

Malgré des feux si beaux qui rompent ma colère,
Je ferai mon possible à bien venger mon père,
Mais malgré la rigueur d'un si cruel devoir,
Mon unique souhait est de ne rien pouvoir.

DON RODRIGUE

Ô miracle d'amour ! 995

CHIMÈNE

Mais comble de misères.

DON RODRIGUE

Que de maux et de pleurs nous coûteront nos pères !

CHIMÈNE

Rodrigue, qui l'eût cru !

DON RODRIGUE

Chimène, qui l'eût dit !

CHIMÈNE

Que notre heur fût si proche et si tôt se perdît !

DON RODRIGUE

Et que si près du port, contre toute apparence,
1000 Un orage si prompt brisât notre espérance !

CHIMÈNE

Ah, mortelles douleurs !

DON RODRIGUE

Ah, regrets superflus !

CHIMÈNE

Va-t'en, encore un coup, je ne t'écoute plus.

DON RODRIGUE

Adieu, je vais traîner une mourante vie,
Tant que par ta poursuite elle me soit ravie.

CHIMÈNE

1005 Si j'en obtiens l'effet, je te donne ma foi
De ne respirer pas un moment après toi.
Adieu, sors, et surtout garde bien qu'on te voie.

ELVIRE

Madame, quelques maux que le Ciel nous envoie…

CHIMÈNE

Ne m'importune plus, laisse-moi soupirer,
Je cherche le silence, et la nuit pour pleurer. 1010

SCÈNE CINQUIÈME

DON DIÈGUE, *seul.*

Jamais nous ne goûtons de parfaite allégresse,
Nos plus heureux succès sont mêlés de tristesse,
Toujours quelques soucis en ces événements
Troublent la pureté de nos contentements :
Au milieu du bonheur mon âme en sent l'atteinte, 1015
Je nage dans la joie et je tremble de crainte,
J'ai vu mort l'ennemi qui m'avait outragé,
Et je ne saurais voir la main qui m'a vengé,
En vain je m'y travaille [1] et d'un soin inutile
Tout cassé que je suis je cours toute la ville, 1020
Si peu que mes vieux ans m'ont laissé de vigueur
Se consomme [2] sans fruit à chercher ce vainqueur.
À toute heure, en tous lieux, dans une nuit si sombre,
Je pense l'embrasser, et n'embrasse qu'une ombre,
Et mon amour, déçu par cet objet trompeur, 1025
Se forme des soupçons qui redoublent ma peur,
Je ne découvre point de marques de sa fuite,
Je crains du Comte mort les amis et la suite ;
Leur nombre m'épouvante et confond ma raison,

1. *Je m'y travaille* : je m'y emploie, je me donne de la peine pour.
2. *Se consomme* : se consume (voir n. 1, p. 77).

1030 Rodrigue ne vit plus, ou respire en prison.
Justes Cieux ! me trompé-je encore à l'apparence,
Ou si je vois enfin mon unique espérance ?
C'est lui, n'en doutons plus, mes vœux sont exaucés ;
Ma crainte est dissipée, et mes ennuis cessés.

SCÈNE SIXIÈME

DON DIÈGUE, DON RODRIGUE

DON DIÈGUE

1035 Rodrigue, enfin le Ciel permet que je te voie !

DON RODRIGUE

Hélas !

DON DIÈGUE

Ne mêle point de soupirs à ma joie ;
Laisse-moi prendre haleine afin de te louer,
Ma valeur n'a point lieu de te désavouer,
Tu l'as bien imitée, et ton illustre audace
1040 Fait bien revivre en toi les Héros de ma race ;
C'est d'eux que tu descends, c'est de moi que tu [viens,
Ton premier coup d'épée égale tous les miens,
Et d'une belle ardeur ta jeunesse animée
Par cette grande épreuve atteint ma renommée.
1045 Appui de ma vieillesse, et comble de mon heur,
Touche ces cheveux blancs à qui tu rends l'honneur,
Viens baiser cette joue et reconnais la place
Où fut jadis l'affront que ton courage efface.

DON RODRIGUE

L'honneur vous en est dû, les Cieux me sont témoins
Qu'étant sorti de vous je ne pouvais pas moins ; 1050
Je me tiens trop heureux, et mon âme est ravie
Que mon coup d'essai plaise à qui je dois la vie
Mais parmi vos plaisirs ne soyez point jaloux
Si j'ose satisfaire à moi-même après vous ;
Souffrez qu'en liberté mon désespoir éclate, 1055
Assez et trop longtemps votre discours le flatte,
Je ne me repens point de vous avoir servi,
Mais rendez-moi le bien que ce coup m'a ravi,
Mon bras pour vous venger armé contre ma flamme
Par ce coup glorieux m'a privé de mon âme, 1060
Ne me dites plus rien, pour vous j'ai tout perdu.
Ce que je vous devais, je vous l'ai bien rendu.

DON DIÈGUE

Porte encore plus haut le fruit de ta victoire.
Je t'ai donné la vie, et tu me rends ma gloire,
Et d'autant que l'honneur m'est plus cher que le jour, 1065
D'autant[1] plus maintenant je te dois de retour[2].
Mais d'un si brave cœur éloigne ces faiblesses,
Nous n'avons qu'un honneur, il est tant de
[maîtresses ;
L'amour n'est qu'un plaisir, et l'honneur un devoir.

1. Je te suis d'autant plus redevable que l'honneur m'est plus cher...

2. *Retour* : complément de prix, « ce qu'on ajoute à la chose qu'on troque contre une autre pour rendre le troc égal » (Académie).

DON RODRIGUE

1070 Ah ! que me dites-vous ?

DON DIÈGUE

Ce que tu dois savoir.

DON RODRIGUE

Mon honneur offensé sur moi-même se venge,
Et vous m'osez pousser à la honte du change[1] !
L'infamie est pareille et suit également
Le guerrier sans courage et le perfide amant.
1075 À ma fidélité ne faites point d'injure,
Souffrez-moi généreux sans me rendre parjure,
Mes liens sont trop forts pour être ainsi rompus,
Ma foi m'engage encor si je n'espère plus,
Et ne pouvant quitter ni posséder Chimène,
1080 Le trépas que je cherche est ma plus douce peine.

DON DIÈGUE

Il n'est pas temps encor de chercher le trépas,
Ton Prince et ton pays ont besoin de ton bras.
La flotte qu'on craignait dans ce grand fleuve[2] entrée
Vient surprendre la ville et piller la contrée,
1085 Les Mores vont descendre et le flux et la nuit
Dans une heure à nos murs les amène[3] sans bruit,
La Cour est en désordre et le peuple en alarmes,

1. *Change* : infidélité, inconstance.

2. Le Guadalquivir, qui arrose Séville avant d'aller se jeter dans l'Atlantique.

3. L'usage du XVIIe siècle permet l'accord au singulier d'un verbe dont le sujet est constitué de deux ou plusieurs noms coordonnés ou juxtaposés.

On n'entend que des cris, on ne voit que des larmes :
Dans ce malheur public mon bonheur a permis
Que j'aie trouvé chez moi cinq cents de mes amis[1], 1090
Qui sachant mon affront poussés d'un même zèle
Venaient m'offrir leur vie à venger ma querelle.
Tu les as prévenus[2], mais leurs vaillantes mains
Se tremperont bien mieux au sang des Africains.
Va marcher à leur tête où l'honneur te demande, 1095
C'est toi que veut pour Chef leur généreuse bande :
De ces vieux ennemis va soutenir l'abord[3],
Là, si tu veux mourir, trouve une belle mort,
Prends-en l'occasion puisqu'elle t'est offerte,
Fais devoir à ton Roi son salut à ta perte. 1100
Mais reviens-en plutôt les palmes sur le front,
Ne borne pas ta gloire à venger un affront,
Pousse-la plus avant, force par ta vaillance
La justice au pardon et Chimène au silence ;
Si tu l'aimes, apprends que retourner vainqueur 1105
C'est l'unique moyen de regagner son cœur.
Mais le temps est trop cher pour le perdre en paroles,
Je t'arrête en discours et je veux que tu voles,
Viens, suis-moi, va combattre, et montrer à ton Roi
Que ce qu'il perd au Comte il le recouvre en toi. 1110

1. Le chiffre a choqué, et Scudéry a relevé qu'il était peu vraisemblable qu'une si petite cour comme l'était celle de la Castille d'alors « pût fournir cinq cents gentilshommes à Don Diègue ». Pourtant, de tels rassemblements n'étaient pas rares en France, et les seigneurs, même modestes, pouvaient réunir des troupes de plusieurs centaines de leurs amis.

2. *Prévenus* : devancés.

3. *Abord* : arrivée, approche par mer jusqu'à une rive où on aborde. Même sens au v. 1116.

ACTE IV

SCÈNE PREMIÈRE

CHIMÈNE, ELVIRE

CHIMÈNE

N'est-ce point un faux bruit ? le sais-tu bien, Elvire ?

ELVIRE

Vous ne croiriez jamais comme chacun l'admire,
Et porte jusqu'au Ciel d'une commune voix
De ce jeune Héros les glorieux exploits.
1115 Les Mores devant lui n'ont paru qu'à leur honte,
Leur abord fut bien prompt, leur fuite encor plus
[prompte,
Trois heures de combat laissent à nos guerriers
Une victoire entière et deux Rois prisonniers ;
La valeur de leur chef ne trouvait point d'obstacles.

CHIMÈNE

1120 Et la main de Rodrigue a fait tous ces miracles !

ELVIRE

De ses nobles efforts ces deux Rois sont le prix,
Sa main les a vaincus et sa main les a pris.

CHIMÈNE

De qui peux-tu savoir ces nouvelles étranges ?

ELVIRE

Du peuple qui partout fait sonner ses louanges,
Le nomme de sa joie, et l'objet, et l'auteur, 1125
Son Ange tutélaire, et son libérateur.

CHIMÈNE

Et le Roi, de quel œil voit-il tant de vaillance ?

ELVIRE

Rodrigue n'ose encor paraître en sa présence,
Mais Don Diègue ravi lui présente enchaînés
Au nom de ce vainqueur ces captifs couronnés, 1130
Et demande pour grâce à ce généreux Prince
Qu'il daigne voir la main qui sauve sa Province.

CHIMÈNE

Mais n'est-il point blessé ?

ELVIRE

Je n'en ai rien appris.
Vous changez de couleur, reprenez vos esprits.

CHIMÈNE

Reprenons donc aussi ma colère affaiblie. 1135
Pour avoir soin de lui faut-il que je m'oublie ?

On le vante, on le loue et mon cœur y consent !
Mon honneur est muet, mon devoir impuissant !
Silence mon amour, laisse agir ma colère,
1140 S'il a vaincu deux Rois, il a tué mon père,
Ces tristes vêtements où je lis mon malheur
Sont les premiers effets qu'ait produits sa valeur,
Et combien que pour lui tout un peuple s'anime,
Ici tous les objets me parlent de son crime.
1145 Vous qui rendez la force à mes ressentiments,
Voile, crêpes, habits, lugubres ornements,
Pompe[1] où m'ensevelit sa première victoire,
Contre ma passion soutenez bien ma gloire
Et lorsque mon amour prendra trop de pouvoir,
1150 Parlez à mon esprit de mon triste devoir,
Attaquez sans rien craindre une main triomphante.

ELVIRE

Modérez ces transports, voici venir l'Infante.

SCÈNE SECONDE

L'INFANTE, CHIMÈNE,
LÉONOR, ELVIRE

L'INFANTE

Je ne viens pas ici consoler tes douleurs,
Je viens plutôt mêler mes soupirs à tes pleurs.

1. *Pompe* : pompe funèbre, apparat de deuil. Se dit de tout « appareil magnifique » (Académie), joyeux ou lugubre.

CHIMÈNE

Prenez bien plutôt part à la commune joie, 1155
Et goûtez le bonheur que le Ciel vous envoie :
Madame, autre que[1] moi n'a droit de soupirer,
Le péril dont Rodrigue a su vous retirer,
Et le salut public que vous rendent ses armes
À moi seule aujourd'hui permet encor les larmes ; 1160
Il a sauvé la ville, il a servi son Roi,
Et son bras valeureux n'est funeste qu'à moi.

L'INFANTE

Ma Chimène, il est vrai qu'il a fait des merveilles.

CHIMÈNE

Déjà ce bruit fâcheux a frappé mes oreilles,
Et je l'entends partout publier hautement 1165
Aussi brave guerrier que malheureux amant.

L'INFANTE

Qu'a de fâcheux pour toi ce discours populaire ?
Ce jeune Mars qu'il loue a su jadis te plaire,
Il possédait ton âme, il vivait sous tes lois,
Et vanter sa valeur c'est honorer ton choix. 1170

CHIMÈNE

J'accorde que chacun la vante avec justice,
Mais pour moi sa louange est un nouveau supplice,
On aigrit[2] ma douleur en l'élevant si haut,
Je vois ce que je perds, quand je vois ce qu'il vaut.

1. *Autre que* : personne d'autre que.
2. *Aigrit* : irrite, exaspère. « Piquer, mettre en colère » (Furetière).

1175 Ah cruels déplaisirs à l'esprit d'une amante !
Plus j'apprends son mérite et plus mon feu
[s'augmente,
Cependant mon devoir est toujours le plus fort
Et malgré mon amour va poursuivre sa mort.

L'INFANTE

Hier ce devoir te mit en une haute estime,
1180 L'effort que tu te fis parut si magnanime,
Si digne d'un grand cœur, que chacun à la Cour
Admirait ton courage et plaignait ton amour.
Mais croirais-tu l'avis d'une amitié fidèle ?

CHIMÈNE

Ne vous obéir pas me rendrait criminelle.

L'INFANTE

1185 Ce qui fut bon alors ne l'est plus aujourd'hui.
Rodrigue maintenant est notre unique appui,
L'espérance et l'amour d'un peuple qui l'adore,
Le soutien de Castille et la terreur du More,
Ses faits[1] nous ont rendu ce qu'ils nous ont ôté,
1190 Et ton père en lui seul se voit ressuscité,
Et si tu veux enfin qu'en deux mots je m'explique,
Tu poursuis en sa mort la ruine publique,
Quoi ? pour venger un père est-il jamais permis
De livrer sa patrie aux mains des ennemis ?
1195 Contre nous ta poursuite est-elle légitime ?
Et pour être punis avons-nous part au crime ?

1. *Faits* : hauts faits, exploits. « Au pluriel, sign. Belles actions, et est ordinairement de poésie » (Richelet, *Dictionnaire français*, 1680).

Ce n'est pas qu'après tout tu doives épouser
Celui qu'un père mort t'obligeait d'accuser,
Je te voudrais moi-même en arracher l'envie ;
Ôte-lui ton amour, mais laisse-nous sa vie. 1200

CHIMÈNE

Ah ! Madame, souffrez qu'avecque liberté
Je pousse jusqu'au bout ma générosité.
Quoique mon cœur pour lui contre moi s'intéresse,
Quoiqu'un peuple l'adore, et qu'un Roi le caresse[1],
Qu'il soit environné des plus vaillants guerriers, 1205
J'irai sous mes Cyprès accabler ses lauriers[2].

L'INFANTE

C'est générosité, quand pour venger un père
Notre devoir attaque une tête si chère :
Mais c'en est une encor d'un plus illustre rang,
Quand on donne[3] au public les intérêts du sang. 1210
Non, crois-moi, c'est assez que d'éteindre ta flamme,
Il sera trop puni s'il n'est plus dans ton âme ;
Que le bien du pays t'impose cette loi ;
Aussi bien, que crois-tu que t'accorde le Roi ?

CHIMÈNE

Il peut me refuser, mais je ne me puis taire. 1215

1. *Le caresse* : lui fasse montre de soins, d'égards, de « démonstrations d'amitié ou de bienveillance qu'on fait à quelqu'un par un accueil gracieux » (Furetière).
2. Les cyprès du deuil, face aux lauriers de la victoire.
3. *Donne* : abandonne, sacrifie.

L'INFANTE

Pense bien, ma Chimène, à ce que tu veux faire.
Adieu, tu pourras seule y songer à loisir.

CHIMÈNE

Après mon père mort je n'ai point à choisir.

SCÈNE TROISIÈME

LE ROI, DON DIÈGUE, DON ARIAS,
DON RODRIGUE, DON SANCHE

LE ROI

Généreux héritier d'une illustre famille
1220 Qui fut toujours la gloire et l'appui de Castille,
Race de tant d'aïeux en valeur signalés
Que l'essai de la tienne a si tôt égalés,
Pour te récompenser ma force est trop petite,
Et j'ai moins de pouvoir que tu n'as de mérite.
1225 Le pays délivré d'un si rude ennemi,
Mon sceptre dans ma main par la tienne affermi,
Et les Mores défaits avant qu'en ces alarmes
J'eusse pu donner ordre à repousser leurs armes,
Ne sont point des exploits qui laissent à ton Roi
1230 Le moyen ni l'espoir de s'acquitter vers[1] toi.
Mais deux Rois, tes captifs, feront ta récompense,
Ils t'ont nommé tous deux leur Cid en ma présence,
Puisque Cid en leur langue est autant que Seigneur,
Je ne t'envierai pas ce beau titre d'honneur.
1235 Sois désormais le Cid, qu'à ce grand nom tout cède,

1. *Vers* : envers.

Qu'il devienne l'effroi de Grenade et Tolède,
Et qu'il marque à tous ceux qui vivent sous mes lois
Et ce que tu me vaux et ce que je te dois.

DON RODRIGUE

Que Votre Majesté, Sire, épargne ma honte,
D'un si faible service elle fait trop de compte, 1240
Et me force à rougir devant un si grand Roi
De mériter si peu l'honneur que j'en reçois.
Je sais trop que je dois au bien de votre Empire
Et le sang qui m'anime et l'air que je respire,
Et quand je les perdrai pour un si digne objet, 1245
Je ferai seulement le devoir d'un sujet.

LE ROI

Tous ceux que ce devoir à mon service engage
Ne s'en acquittent pas avec même courage,
Et lorsque la valeur ne va point dans l'excès,
Elle ne produit point de si rares succès. 1250
Souffre donc qu'on te loue, et de cette victoire
Apprends-moi plus au long la véritable histoire.

DON RODRIGUE

Sire, vous avez su qu'en ce danger pressant
Qui jeta dans la ville un effroi si puissant,
Une troupe d'amis chez mon père assemblée 1255
Sollicita[1] mon âme encor toute troublée.
Mais, Sire, pardonnez à ma témérité,
Si j'osai l'employer sans votre autorité ;

1. *Solliciter* : pousser à agir, « tenter, induire à faire ou à entreprendre quelque chose » (Furetière).

Le péril approchait, leur brigade était prête,
1260 Et paraître à la Cour eût hasardé ma tête,
Qu'à défendre l'État j'aimais bien mieux donner,
Qu'aux plaintes de Chimène ainsi l'abandonner.

LE ROI

J'excuse ta chaleur à venger ton offense,
Et l'État défendu me parle en ta défense :
1265 Crois que dorénavant Chimène a beau parler,
Je ne l'écoute plus que pour la consoler.
Mais poursuis.

DON RODRIGUE

Sous moi[1] donc cette troupe s'avance,
Et porte sur le front une mâle assurance :
Nous partîmes cinq cents, mais par un prompt renfort,
1270 Nous nous vîmes trois mille en arrivant au port,
Tant à nous voir marcher en si bon équipage[2]
Les plus épouvantés reprenaient de courage.
J'en cache les deux tiers, aussitôt qu'arrivés,
Dans le fond des vaisseaux qui lors furent trouvés :
1275 Le reste, dont le nombre augmentait à toute heure,
Brûlant d'impatience autour de moi demeure,
Se couche contre terre, et sans faire aucun bruit,
Passe une bonne part d'une si belle nuit.
Par mon commandement la garde en fait de même,
1280 Et se tenant cachée aide à mon stratagème,
Et je feins hardiment d'avoir reçu de vous
L'ordre qu'on me voit suivre, et que je donne à tous.

1. *Sous moi* : sous mon commandement.
2. *En si bon équipage* : dans un état, une situation si favorable. En 1660-1682, Corneille remplace par « avec un tel visage ».

Cette obscure clarté qui tombe des étoiles
Enfin avec le flux nous fit voir trente voiles ;
L'onde s'enflait dessous, et d'un commun effort 1285
Les Mores, et la mer entrèrent dans le port.
On les laisse passer, tout leur paraît tranquille,
Point de soldats au port, point aux murs de la ville,
Notre profond silence abusant leurs esprits
Ils n'osent plus douter de nous avoir surpris, 1290
Ils abordent sans peur, ils ancrent, ils descendent
Et courent se livrer aux mains qui les attendent :
Nous nous levons alors et tous en même temps
Poussons jusques au Ciel mille cris éclatants,
Les nôtres au signal de nos vaisseaux répondent, 1295
Ils paraissent armés, les Mores se confondent[1],
L'épouvante les prend à demi descendus,
Avant que de combattre ils s'estiment perdus,
Ils couraient au pillage, et rencontrent la guerre,
Nous les pressons sur l'eau, nous les pressons sur terre 1300
Et nous faisons courir des ruisseaux de leur sang
Avant qu'aucun résiste, ou reprenne son rang.
Mais bientôt malgré nous leurs Princes les rallient,
Leur courage renaît, et leurs terreurs s'oublient,
La honte de mourir sans avoir combattu 1305
Rétablit[2] leur désordre, et leur rend leur vertu :
Contre nous de pied ferme ils tirent les épées[3],

1. *Se confondent* : tombent dans la confusion, le désordre.
2. *Rétablit* : met fin à.
3. En 1664-1682, Corneille remplace ces épées par des « alfanges », des cimeterres plus en accord avec l'armement des Mores :
Contre nous de pied ferme ils tirent leurs Alfanges,
De notre sang au leur font d'horribles mélanges.

Des plus braves soldats les trames sont coupées,
Et la terre, et le fleuve, et leur flotte, et le port
1310 Sont des champs de carnage où triomphe la mort.
Ô combien d'actions, combien d'exploits célèbres
Furent ensevelis dans l'horreur des ténèbres,
Où chacun seul témoin des grands coups qu'il donnait,
Ne pouvait discerner où le sort inclinait !
1315 J'allais de tous côtés encourager les nôtres,
Faire avancer les uns, et soutenir les autres,
Ranger ceux qui venaient, les pousser à leur tour,
Et n'en pus rien savoir jusques au point du jour.
Mais enfin sa clarté montra notre avantage,
1320 Le More vit sa perte et perdit le courage,
Et voyant un renfort qui nous vint secourir
Changea l'ardeur de vaincre à la peur de mourir.
Ils gagnent leurs vaisseaux, ils en coupent les
[chables[1],
Nous laissent pour Adieux des cris épouvantables,
1325 Font retraite en tumulte, et sans considérer
Si leurs Rois avec eux ont pu se retirer.
Ainsi leur devoir cède à la frayeur plus forte,
Le flux les apporta, le reflux les remporte,
Cependant que leurs Rois engagés parmi nous,
1330 Et quelque peu des leurs tous percés de nos coups,
Disputent vaillamment et vendent bien leur vie.
À se rendre moi-même en vain je les convie,
Le cimeterre au poing ils ne m'écoutent pas ;
Mais voyant à leurs pieds tomber tous leurs soldats,
1335 Et que seuls désormais en vain ils se défendent,
Ils demandent le Chef, je me nomme, ils se rendent,

1. *Chables* : câbles, cordes d'amarrage. Graphie du XVIIe siècle.

Je vous les envoyai tous deux en même temps,
Et le combat cessa faute de combattants.
C'est de cette façon que pour votre service…

SCÈNE QUATRIÈME

LE ROI, DON DIÈGUE, DON RODRIGUE,
DON ARIAS, DON ALONSE, DON SANCHE

DON ALONSE

Sire, Chimène vient vous demander Justice. 1340

LE ROI

La fâcheuse nouvelle, et l'importun devoir !
Va, je ne la veux pas obliger à te voir,
Pour tous remerciements il faut que je te chasse :
Mais avant que sortir, viens que ton Roi t'embrasse.
Don Rodrigue rentre.

DON DIÈGUE

Chimène le poursuit, et voudrait le sauver. 1345

LE ROI

On m'a dit qu'elle l'aime, et je vais l'éprouver,
Contrefaites le triste[1].

1. « Montrez un œil plus triste. » (var. 1660-1682).

SCÈNE CINQUIÈME

LE ROI, DON DIÈGUE,
DON ARIAS, DON SANCHE, DON ALONSE,
CHIMÈNE, ELVIRE

LE ROI

Enfin soyez contente,
Chimène, le succès répond à votre attente :
Si de nos ennemis Rodrigue a le dessus,
1350 Il est mort à nos yeux des coups qu'il a reçus,
Rendez grâces au Ciel qui vous en a vengée.
Voyez comme déjà sa couleur est changée.

DON DIÈGUE

Mais voyez qu'elle pâme, et d'un amour parfait
Dans cette pâmoison, Sire, admirez l'effet,
1355 Sa douleur a trahi les secrets de son âme
Et ne vous permet plus de douter de sa flamme.

CHIMÈNE

Quoi ? Rodrigue est donc mort ?

LE ROI

Non, non, il voit le jour,
Et te conserve encore un immuable amour,
Tu le posséderas, reprends ton allégresse.

CHIMÈNE

1360 Sire, on pâme de joie ainsi que de tristesse,
Un excès de plaisir nous rend tous languissants,
Et quand il surprend l'âme, il accable les sens.

LE ROI

Tu veux qu'en ta faveur nous croyions[1] l'impossible,
Ta tristesse, Chimène, a paru trop visible.

CHIMÈNE

Eh bien, Sire, ajoutez ce comble à mes malheurs, 1365
Nommez ma pâmoison l'effet de mes douleurs,
Un juste déplaisir à ce point m'a réduite,
Son trépas dérobait sa tête à ma poursuite ;
S'il meurt des coups reçus pour le bien du pays,
Ma vengeance est perdue et mes desseins trahis. 1370
Une si belle fin m'est trop injurieuse,
Je demande sa mort, mais non pas glorieuse,
Non pas dans un éclat qui l'élève si haut,
Non pas au lit d'honneur[2], mais sur un échafaud.
Qu'il meure pour mon père, et non pour la patrie, 1375
Que son nom soit taché, sa mémoire flétrie ;
Mourir pour le pays n'est pas un triste sort,
C'est s'immortaliser par une belle mort.
J'aime donc sa victoire, et je le puis sans crime,
Elle assure l'État, et me rend ma victime, 1380
Mais noble, mais fameuse entre tous les guerriers,
Le chef au lieu de fleurs couronné de lauriers,
Et pour dire en un mot ce que j'en considère,
Digne d'être immolée aux Mânes de mon père :

1. *Croyions* : jusqu'en 1648, Corneille écrit « croyons ». L'hésitation est propre à l'époque, mais le subjonctif est évidemment préférable.

2. *Lit d'honneur* : champ d'honneur. « On dit *Mourir au lit d'honneur* pour dire : Mourir à la guerre dans quelque occasion remarquable, et cela se dit d'un homme de guerre qui est tué dans une bataille » (Académie).

1385 Hélas ! à quel espoir me laissé-je emporter !
Rodrigue de ma part n'a rien à redouter :
Que pourraient contre lui des larmes qu'on méprise ?
Pour lui tout votre Empire est un lieu de franchise[1],
Là sous votre pouvoir tout lui devient permis,
1390 Il triomphe de moi, comme des ennemis,
Dans leur sang épandu la justice étouffée,
Aux crimes du vainqueur sert d'un nouveau trophée,
Nous en croissons la pompe et le mépris des lois
Nous fait suivre son char au milieu de deux Rois[2]

LE ROI

1395 Ma fille, ces transports ont trop de violence.
Quand on rend la justice, on met tout en balance :
On a tué ton père, il était l'agresseur,
Et la même équité[3] m'ordonne la douceur.
Avant que d'accuser ce que j'en fais paraître,
1400 Consulte bien ton cœur, Rodrigue en est le maître,
Et ta flamme en secret rend grâces à ton Roi
Dont la faveur conserve un tel amant pour toi.

CHIMÈNE

Pour moi mon ennemi ! l'objet de ma colère !
L'auteur de mes malheurs ! l'assassin de mon père !
1405 De ma juste poursuite on fait si peu de cas
Qu'on me croit obliger en ne m'écoutant pas !
Puisque vous refusez la justice à mes larmes,
Sire, permettez-moi de recourir aux armes,

1. *Franchise* : asile, lieu sûr.
2. Triomphe à l'antique, avec toute la pompe et l'éclat d'une procession où les vaincus suivent le char du général victorieux.
3. *La même équité* : l'équité même.

C'est par là seulement qu'il a su m'outrager,
Et c'est aussi par là que je me dois venger. 1410
À tous vos Chevaliers je demande sa tête.
Oui, qu'un d'eux me l'apporte, et je suis sa conquête,
Qu'ils le combattent, Sire, et le combat fini,
J'épouse le vainqueur si Rodrigue est puni.
Sous votre autorité souffrez qu'on le publie. 1415

LE ROI

Cette vieille coutume[1] en ces lieux établie,
Sous couleur de punir un injuste attentat,
Des meilleurs combattants affaiblit un État.
Souvent de cet abus le succès déplorable
Opprime l'innocent et soutient le coupable. 1420
J'en dispense Rodrigue, il m'est trop précieux
Pour l'exposer aux coups d'un sort capricieux,
Et quoi qu'ait pu commettre un cœur si magnanime
Les Mores en fuyant ont emporté son crime.

DON DIÈGUE

Quoi, Sire ! pour lui seul vous renversez des lois 1425
Qu'a vu toute la Cour observer tant de fois !
Que croira votre peuple et que dira l'envie
Si sous votre défense il ménage sa vie,
Et s'en sert d'un prétexte à ne paraître pas
Où tous les gens d'honneur cherchent un beau 1430
[trépas ?
Sire, ôtez ces faveurs qui terniraient sa gloire,
Qu'il goûte sans rougir les fruits de sa victoire,

1. Le combat judiciaire réclamé par Chimène était en effet une pratique médiévale, dont les derniers exemples remontent au XVIe siècle.

Le Comte eut de l'audace, il l'en a su punir,
Il l'a fait en brave homme, et le doit soutenir.

LE ROI

1435 Puisque vous le voulez j'accorde qu'il le fasse,
Mais d'un guerrier vaincu mille prendraient la place,
Et le prix que Chimène au vainqueur a promis
De tous mes Chevaliers ferait ses ennemis :
L'opposer seul à tous serait trop d'injustice,
1440 Il suffit qu'une fois il entre dans la lice :
Choisis qui tu voudras, Chimène, et choisis bien,
Mais après ce combat ne demande plus rien.

DON DIÈGUE

N'excusez point par là ceux que son bras étonne,
Laissez un camp ouvert où n'entrera personne.
1445 Après ce que Rodrigue a fait voir aujourd'hui,
Quel courage assez vain s'oserait prendre à lui ?
Qui se hasarderait contre un tel adversaire ?
Qui serait ce vaillant, ou bien ce téméraire ?

DON SANCHE

Faites ouvrir le camp, vous voyez l'assaillant,
1450 Je suis ce téméraire, ou plutôt ce vaillant.
Accordez cette grâce à l'ardeur qui me presse,
Madame, vous savez quelle est votre promesse.

LE ROI

Chimène, remets-tu ta querelle en sa main ?

CHIMÈNE

Sire, je l'ai promis.

LE ROI

Soyez prêt à demain.

DON DIÈGUE

Non, Sire, il ne faut pas différer davantage, 1455
On est toujours trop prêt quand on a du courage.

LE ROI

Sortir d'une bataille et combattre à l'instant !

DON DIÈGUE

Rodrigue a pris haleine en vous la racontant.

LE ROI

Du moins, une heure, ou deux, je veux qu'il se
[délasse.
Mais de peur qu'en exemple un tel combat ne passe, 1460
Pour témoigner à tous qu'à regret je permets
Un sanglant procédé qui ne me plut jamais,
De moi, ni de ma Cour il n'aura la présence.

Il parle à Don Arias.

Vous seul des combattants jugerez la vaillance :
Ayez soin que tous deux fassent en gens de cœur, 1465
Et le combat fini m'amenez le vainqueur.
Quel qu'il soit, même prix est acquis à sa peine,
Je le veux de ma main présenter à Chimène,
Et que pour récompense il reçoive sa foi.

CHIMÈNE

Sire, c'est me donner une trop dure loi. 1470

LE ROI

Tu t'en plains, mais ton feu loin d'avouer ta plainte,
Si Rodrigue est vainqueur, l'accepte sans contrainte.
Cesse de murmurer contre un arrêt si doux :
Qui que ce soit des deux, j'en ferai ton époux.

ACTE V

SCÈNE PREMIÈRE

DON RODRIGUE, CHIMÈNE

CHIMÈNE

Quoi, Rodrigue, en plein jour ! d'où te vient cette [audace ? 1475
Va, tu me perds d'honneur, retire-toi, de grâce.

DON RODRIGUE

Je vais mourir, Madame, et vous viens en ce lieu,
Avant le coup mortel, dire un dernier Adieu,
Mon amour vous le doit, et mon cœur qui soupire
N'ose sans votre aveu sortir de votre Empire. 1480

CHIMÈNE

Tu vas mourir !

DON RODRIGUE

J'y cours, et le Comte est vengé,
Aussitôt que de vous j'en aurai le congé.

CHIMÈNE

Tu vas mourir ! Don Sanche est-il si redoutable,
Qu'il donne l'épouvante à ce cœur indomptable ?
1485 Qui t'a rendu si faible, ou qui le rend si fort ?
Rodrigue va combattre, et se croit déjà mort !
Celui qui n'a pas craint les Mores, ni mon père,
Va combattre Don Sanche et déjà désespère !
Ainsi donc au besoin[1] ton courage s'abat ?

DON RODRIGUE

1490 Je cours à mon supplice, et non pas au combat,
Et ma fidèle ardeur sait bien m'ôter l'envie,
Quand vous cherchez ma mort, de défendre ma vie.
J'ai toujours même cœur, mais je n'ai point de bras
Quand il faut conserver ce qui ne vous plaît pas,
1495 Et déjà cette nuit m'aurait été mortelle
Si j'eusse combattu pour ma seule querelle :
Mais défendant mon Roi, son peuple, et le pays
À me défendre mal je les aurais trahis,
Mon esprit généreux ne hait pas tant la vie
1500 Qu'il en veuille sortir par une perfidie.
Maintenant qu'il s'agit de mon seul intérêt,
Vous demandez ma mort, j'en accepte l'arrêt ;
Votre ressentiment choisit la main d'un autre,
Je ne méritais pas de mourir de la vôtre ;
1505 On ne me verra point en repousser les coups,
Je dois plus de respect à qui combat pour vous,
Et ravi de penser que c'est de vous qu'ils viennent,
Puisque c'est votre honneur que ses armes
[soutiennent,

1. *Au besoin* : dans une situation critique, une circonstance délicate.

Je lui vais présenter mon estomac[1] ouvert,
Adorant en sa main la vôtre qui me perd. 1510

CHIMÈNE

Si d'un triste devoir la juste violence,
Qui me fait malgré moi poursuivre ta vaillance,
Prescrit à ton amour une si forte loi
Qu'il te rend sans défense à qui combat pour moi,
En cet aveuglement ne perds pas la mémoire, 1515
Qu'ainsi que de ta vie, il y va de ta gloire,
Et que dans quelque éclat que Rodrigue ait vécu
Quand on le saura mort, on le croira vaincu.
L'honneur te fut plus cher que je ne te suis chère,
Puisqu'il trempa tes mains dans le sang de mon père, 1520
Et te fit renoncer malgré ta passion,
À l'espoir le plus doux de ma possession :
Je t'en vois cependant faire si peu de compte
Que sans rendre combat tu veux qu'on te surmonte.
Quelle inégalité[2] ravale ta vertu ? 1525
Pourquoi ne l'as-tu plus, ou pourquoi l'avais-tu ?
Quoi ? n'es-tu généreux que pour me faire outrage ?
S'il ne faut m'offenser n'as-tu point de courage ?
Et traites-tu mon père avec tant de rigueur
Qu'après l'avoir vaincu tu souffres un vainqueur ? 1530
Non, sans vouloir mourir, laisse-moi te poursuivre,
Et défends ton honneur si tu ne veux plus vivre.

1. *Estomac* : « Se dit abusivement de la poitrine » (Furetière). Les précieuses condamnaient le mot « poitrine » sous le « ridicule prétexte, dit Vaugelas, qu'on dit "poitrine de veau" ».
2. *Inégalité* : inconstance capricieuse, esprit changeant.

DON RODRIGUE

Après la mort du Comte, et les Mores défaits,
Mon honneur appuyé sur de si grands effets
1535 Contre un autre ennemi n'a plus à se défendre :
On sait que mon courage ose tout entreprendre,
Que ma valeur peut tout, et que dessous les Cieux,
Quand mon honneur y va[1], rien ne m'est précieux.
Non, non, en ce combat, quoi que vous veuilliez [croire,
1540 Rodrigue peut mourir sans hasarder sa gloire,
Sans qu'on l'ose accuser d'avoir manqué de cœur,
Sans passer pour vaincu, sans souffrir un vainqueur.
On dira seulement : « Il adorait Chimène,
Il n'a pas voulu vivre et mériter sa haine,
1545 Il a cédé lui-même à la rigueur du sort
Qui forçait sa maîtresse à poursuivre sa mort,
Elle voulait sa tête, et son cœur magnanime
S'il l'en eût refusée eût pensé faire un crime :
Pour venger son honneur il perdit son amour,
1550 Pour venger sa maîtresse il a quitté le jour,
Préférant (quelque espoir qu'eût son âme asservie)
Son honneur à Chimène, et Chimène à sa vie. »
Ainsi donc vous verrez ma mort en ce combat
Loin d'obscurcir ma gloire en rehausser l'éclat,
1555 Et cet honneur suivra mon trépas volontaire,
Que tout autre que moi n'eût pu vous satisfaire.

CHIMÈNE

Puisque pour t'empêcher de courir au trépas
Ta vie et ton honneur sont de faibles appas,

1. Quand il y va de mon honneur.

Si jamais je t'aimai, cher Rodrigue, en revanche,
Défends-toi maintenant pour m'ôter à Don Sanche, 1560
Combats pour m'affranchir d'une condition
Qui me livre à l'objet de mon aversion.
Te dirai-je encor plus ? va, songe à ta défense,
Pour forcer mon devoir, pour m'imposer silence,
Et si jamais l'amour échauffa tes esprits, 1565
Sors vainqueur d'un combat dont Chimène est le prix.
Adieu, ce mot lâché me fait rougir de honte.

DON RODRIGUE, *seul.*

Est-il quelque ennemi qu'à présent je ne dompte ?
Paraissez, Navarrais, Mores, et Castillans,
Et tout ce que l'Espagne a nourri de vaillants, 1570
Unissez-vous ensemble, et faites une armée
Pour combattre une main de la sorte animée,
Joignez tous vos efforts contre un espoir si doux,
Pour en venir à bout, c'est trop peu que de vous.

SCÈNE SECONDE

L'INFANTE

T'écouterai-je encor, respect de ma naissance, 1575
Qui fais un crime de mes feux ?
T'écouterai-je, Amour, dont la douce puissance
Contre ce fier tyran fait rebeller mes vœux ?
Pauvre Princesse, auquel des deux
Dois-tu prêter obéissance ? 1580
Rodrigue, ta valeur te rend digne de moi,
Mais pour être vaillant tu n'es pas fils de Roi.

Impitoyable sort, dont la rigueur sépare
Ma gloire d'avec mes désirs,
1585 Est-il dit que le choix d'une vertu si rare
Coûte à ma passion de si grands déplaisirs ?
Ô Cieux ! à combien de soupirs
Faut-il que mon cœur se prépare,
S'il ne peut obtenir dessus[1] mon sentiment
1590 Ni d'éteindre l'amour, ni d'accepter l'amant ?

Mais ma honte m'abuse, et ma raison s'étonne
Du mépris d'un si digne choix :
Bien qu'aux Monarques seuls ma naissance me [donne,
Rodrigue, avec honneur je vivrai sous tes lois.
1595 Après avoir vaincu deux Rois
Pourrais-tu manquer de couronne ?
Et ce grand nom de Cid que tu viens de gagner
Marque-t-il pas déjà sur qui tu dois régner ?

Il est digne de moi, mais il est à Chimène,
1600 Le don que j'en ai fait me nuit,
Entre eux un père mort sème si peu de haine
Que le devoir du sang à regret le poursuit.
Ainsi n'espérons aucun fruit
De son crime, ni de ma peine,
1605 Puisque pour me punir le destin a permis
Que l'amour dure même entre deux ennemis.

1. *Dessus* : par-dessus, en triomphant de, en l'emportant sur.

SCÈNE TROISIÈME

L'INFANTE, LÉONOR

L'INFANTE

Où viens-tu, Léonor ?

LÉONOR

Vous témoigner, Madame,
L'aise que je ressens du repos de votre âme.

L'INFANTE

D'où viendrait ce repos dans un comble d'ennui ?

LÉONOR

Si l'amour vit d'espoir, et s'il meurt avec lui, 1610
Rodrigue ne peut plus charmer votre courage,
Vous savez le combat où Chimène l'engage,
Puisqu'il faut qu'il y meure, ou qu'il soit son mari,
Votre espérance est morte, et votre esprit guéri.

L'INFANTE

Ô, qu'il s'en faut encor ! 1615

LÉONOR

Que pouvez-vous prétendre ?

L'INFANTE

Mais plutôt quel espoir me pourrais-tu défendre ?
Si Rodrigue combat sous ces conditions,
Pour en rompre l'effet j'ai trop d'inventions,

L'amour, ce doux auteur de mes cruels supplices,
1620 Aux esprits des amants apprend trop d'artifices.

LÉONOR

Pourrez-vous quelque chose après qu'un père mort
N'a pu dans leurs esprits allumer de discord ?
Car Chimène aisément montre par sa conduite
Que la haine aujourd'hui ne fait pas sa poursuite :
1625 Elle obtient un combat, et pour son combattant,
C'est le premier offert qu'elle accepte à l'instant :
Elle ne choisit point de ces mains généreuses
Que tant d'exploits fameux rendent si glorieuses,
Don Sanche lui suffit, c'est la première fois
1630 Que ce jeune Seigneur endosse le harnois.
Elle aime en ce duel son peu d'expérience,
Comme il est sans renom, elle est sans défiance,
Un tel choix, et si prompt, vous doit bien faire voir
Qu'elle cherche un combat qui force son devoir,
1635 Et livrant à Rodrigue une victoire aisée,
Puisse l'autoriser à paraître apaisée.

L'INFANTE

Je le remarque assez, et toutefois mon cœur
À l'envi de Chimène adore ce vainqueur.
À quoi me résoudrai-je, amante infortunée ?

LÉONOR

1640 À vous ressouvenir de qui vous êtes née,
Le Ciel vous doit un Roi, vous aimez un sujet.

L'INFANTE

Mon inclination a bien changé d'objet.
Je n'aime plus Rodrigue, un simple Gentilhomme,

Une ardeur bien plus digne à présent me consomme[1] ;
Si j'aime, c'est l'auteur de tant de beaux exploits, 1645
C'est le valeureux Cid, le maître de deux Rois,
Je me vaincrai pourtant, non de peur d'aucun blâme,
Mais pour ne troubler pas une si belle flamme,
Et quand pour m'obliger on l'aurait couronné,
Je ne veux point reprendre un bien que j'ai donné. 1650
Puisqu'en un tel combat sa victoire est certaine
Allons encore un coup le donner à Chimène,
Et toi qui vois les traits dont mon cœur est percé,
Viens me voir achever comme j'ai commencé.

SCÈNE QUATRIÈME

CHIMÈNE, ELVIRE

CHIMÈNE

Elvire, que je souffre, et que je suis à plaindre ! 1655
Je ne sais qu'espérer, et je vois tout à craindre,
Aucun vœu ne m'échappe où j'ose consentir,
Et mes plus doux souhaits sont pleins d'un repentir.
À deux rivaux pour moi je fais prendre les armes,
Le plus heureux succès me coûtera des larmes, 1660
Et quoi qu'en ma faveur en ordonne le sort,
Mon père est sans vengeance, ou mon amant est
[mort.

ELVIRE

D'un et d'autre côté je vous vois soulagée,
Ou vous avez Rodrigue, ou vous êtes vengée,

1. *Consomme* : consume. Voir n. 1, p. 77.

1665 Et quoi que le destin puisse ordonner de vous,
Il soutient votre gloire et vous donne un époux.

CHIMÈNE

Quoi ? l'objet de ma haine, ou bien de ma colère !
L'assassin de Rodrigue, ou celui de mon père !
De tous les deux côtés on me donne un mari
1670 Encor tout teint du sang que j'ai le plus chéri.
De tous les deux côtés mon âme se rebelle,
Je crains plus que la mort la fin de ma querelle ;
Allez, vengeance, amour, qui troublez mes esprits,
Vous n'avez point pour moi de douceurs à ce prix.
1675 Et toi, puissant moteur du destin qui m'outrage[1],
Termine ce combat sans aucun avantage,
Sans faire aucun des deux, ni vaincu, ni vainqueur.

ELVIRE

Ce serait vous traiter avec trop de rigueur.
Ce combat pour votre âme est un nouveau supplice
1680 S'il vous laisse obligée à demander justice,
À témoigner toujours ce haut ressentiment,
Et poursuivre toujours la mort de votre amant.
Non, non, il vaut bien mieux que sa rare vaillance,
Lui gagnant un laurier vous impose silence,
1685 Que la loi du combat étouffe vos soupirs,
Et que le Roi vous force à suivre vos désirs.

1. *Puissant moteur du destin* : Dieu (« Dieu est le premier moteur de l'univers », Furetière). En réaction contre le théâtre médiéval, la scène classique évite de nommer Dieu sur une scène profane.

CHIMÈNE

Quand il sera vainqueur, crois-tu que je me rende ?
Mon devoir est trop fort, et ma perte trop grande,
Et ce n'est pas assez pour leur faire la loi
Que celle du combat et le vouloir du Roi. 1690
Il peut vaincre Don Sanche avec fort peu de peine,
Mais non pas avec lui la gloire de Chimène,
Et quoi qu'à sa victoire un Monarque ait promis,
Mon honneur lui fera mille autres ennemis.

ELVIRE

Gardez, pour vous punir de cet orgueil étrange, 1695
Que le Ciel à la fin ne souffre qu'on vous venge.
Quoi ? vous voulez encor refuser le bonheur
De pouvoir maintenant vous taire avec honneur ?
Que prétend ce devoir ? et qu'est-ce qu'il espère ?
La mort de votre amant vous rendra-t-elle un père ? 1700
Est-ce trop peu pour vous que d'un coup de malheur ?
Faut-il perte sur perte, et douleur sur douleur ?
Allez, dans le caprice où votre humeur s'obstine,
Vous ne méritez pas l'amant qu'on vous destine,
Et le Ciel, ennuyé de vous être si doux, 1705
Vous lairra[1] par sa mort Don Sanche pour époux.

CHIMÈNE

Elvire, c'est assez des peines que j'endure,
Ne les redouble point par ce funeste augure,
Je veux, si je le puis, les éviter tous deux,
Sinon, en ce combat Rodrigue a tous mes vœux : 1710
Non qu'une folle ardeur de son côté me penche,

1. *Lairra* : laissera. Forme ancienne.

Mais s'il était vaincu, je serais à Don Sanche,
Cette appréhension fait naître mon souhait.
Que vois-je, malheureuse ? Elvire, c'en est fait.

SCÈNE CINQUIÈME

DON SANCHE, CHIMÈNE, ELVIRE

DON SANCHE

1715 Madame, à vos genoux j'apporte cette épée.

CHIMÈNE

Quoi ? du sang de Rodrigue encor toute trempée ?
Perfide, oses-tu bien te montrer à mes yeux,
Après m'avoir ôté ce que j'aimais le mieux ?
Éclate mon amour, tu n'as plus rien à craindre,
1720 Mon père est satisfait, cesse de te contraindre,
Un même coup a mis ma gloire en sûreté,
Mon âme au désespoir, ma flamme en liberté.

DON SANCHE

D'un esprit plus rassis…

CHIMÈNE

Tu me parles encore,
Exécrable assassin d'un Héros que j'adore ?
1725 Va, tu l'as pris en traître, un guerrier si vaillant
N'eût jamais succombé sous un tel assaillant.

ELVIRE

Mais, Madame, écoutez.

CHIMÈNE

Que veux-tu que j'écoute ?
Après ce que je vois puis-je être encor en doute ?
J'obtiens pour mon malheur ce que j'ai demandé,
Et ma juste poursuite a trop bien succédé[1]. 1730
Pardonne, cher amant, à sa rigueur sanglante,
Songe que je suis fille aussi bien comme[2] amante,
Si j'ai vengé mon père aux dépens de ton sang,
Du mien pour te venger j'épuiserai mon flanc.
Mon âme désormais n'a rien qui la retienne, 1735
Elle ira recevoir ce pardon de la tienne.
Et toi qui me prétends acquérir par sa mort,
Ministre déloyal de mon rigoureux sort,
N'espère rien de moi, tu ne m'as point servie,
En croyant me venger tu m'as ôté la vie. 1740

DON SANCHE

Étrange impression qui, loin de m'écouter...

CHIMÈNE

Veux-tu que de sa mort je t'écoute vanter ?
Que j'entende à loisir avec quelle insolence
Tu peindras son malheur, mon crime, et ta vaillance,
Qu'à tes yeux ce récit tranche mes tristes jours ? 1745
Va, va, je mourrai bien sans ce cruel secours,
Abandonne mon âme au mal qui la possède,
Pour venger mon amant je ne veux point qu'on
[m'aide.

1. *Succédé* : abouti. Succès signifie « Issue d'une affaire. Il se dit en bonne et mauvaise part » (Furetière).
2. *Aussi bien comme* : aussi bien que.

SCÈNE SIXIÈME

LE ROI, DON DIÈGUE, DON ARIAS,
DON SANCHE, DON ALONSE,
CHIMÈNE, ELVIRE

CHIMÈNE

Sire, il n'est plus besoin de vous dissimuler
1750 Ce que tous mes efforts ne vous ont pu celer.
J'aimais, vous l'avez su, mais pour venger un père
J'ai bien voulu proscrire[1] une tête si chère :
Votre Majesté, Sire, elle-même a pu voir
Comme j'ai fait céder mon amour au devoir.
1755 Enfin, Rodrigue est mort, et sa mort m'a changée
D'implacable ennemie en amante affligée.
J'ai dû cette vengeance à qui m'a mise au jour,
Et je dois maintenant ces pleurs à mon amour.
Don Sanche m'a perdue en prenant ma défense,
1760 Et du bras qui me perd je suis la récompense.
Sire, si la pitié peut émouvoir un Roi,
De grâce révoquez une si dure loi ;
Pour prix d'une victoire où je perds ce que j'aime,
Je lui laisse mon bien, qu'il me laisse à moi-même ;
1765 Qu'en un Cloître sacré je pleure incessamment[2]
Jusqu'au dernier soupir mon père et mon amant.

1. *Proscrire* : « Mettre à prix la vie de quelqu'un, la tête d'une personne » (Richelet).
2. *Incessamment* : « Continuellement, sans cesse » (Académie).

DON DIÈGUE

Enfin, elle aime, Sire, et ne croit plus un crime
D'avouer par sa bouche une amour[1] légitime.

LE ROI

Chimène, sors d'erreur, ton amant n'est pas mort,
Et Don Sanche vaincu t'a fait un faux rapport... 1770

DON SANCHE

Sire, un peu trop d'ardeur malgré moi l'a déçue.
Je venais du combat lui raconter l'issue.
Ce généreux guerrier dont son cœur est charmé :
« Ne crains rien (m'a-t-il dit quand il m'a désarmé),
Je laisserais plutôt la victoire incertaine 1775
Que de répandre un sang hasardé pour Chimène,
Mais puisque mon devoir m'appelle auprès du Roi,
Va de notre combat l'entretenir pour moi,
Offrir à ses genoux ta vie et ton épée. »
Sire, j'y suis venu, cet objet l'a trompée, 1780
Elle m'a cru vainqueur me voyant de retour,
Et soudain sa colère a trahi son amour,
Avec tant de transport, et tant d'impatience,
Que je n'ai pu gagner un moment d'audience.
Pour moi, bien que vaincu, je me répute heureux, 1785
Et malgré l'intérêt de mon cœur amoureux,
Perdant infiniment, j'aime encor ma défaite,
Qui fait le beau succès d'une amour si parfaite.

1. *Une* amour : le mot est féminin dans l'ancienne langue. Au XVIIe siècle, les deux genres sont admis, mais peu à peu le masculin s'impose, sauf au pluriel. Voir aussi v. 1788.

LE ROI

Ma fille, il ne faut point rougir d'un si beau feu,
1790 Ni chercher les moyens d'en faire un désaveu :
Une louable honte enfin t'en sollicite,
Ta gloire est dégagée, et ton devoir est quitte,
Ton père est satisfait, et c'était le venger
Que mettre tant de fois ton Rodrigue en danger.
1795 Tu vois comme le Ciel autrement en dispose ;
Ayant tant fait pour lui, fais pour toi quelque chose,
Et ne sois point rebelle à mon commandement
Qui te donne un époux aimé si chèrement.

SCÈNE SEPTIÈME

LE ROI, DON DIÈGUE, DON ARIAS,
DON RODRIGUE, DON ALONSE,
DON SANCHE, L'INFANTE, CHIMÈNE,
LÉONOR, ELVIRE

L'INFANTE

Sèche tes pleurs, Chimène, et reçois sans tristesse
1800 Ce généreux vainqueur des mains de ta Princesse.

DON RODRIGUE

Ne vous offensez point, Sire, si devant vous
Un respect amoureux me jette à ses genoux.
Je ne viens point ici demander ma conquête ;
Je viens tout de nouveau vous apporter ma tête ;
1805 Madame, mon amour n'emploiera point pour moi
Ni la loi du combat, ni le vouloir du Roi.
Si tout ce qui s'est fait est trop peu pour un père,

Dites par quels moyens il vous faut satisfaire.
Faut-il combattre encor mille et mille rivaux,
Aux deux bouts de la terre étendre mes travaux, 1810
Forcer moi seul un camp, mettre en fuite une armée,
Des Héros fabuleux passer la renommée ?
Si mon crime par là se peut enfin laver,
J'ose tout entreprendre, et puis tout achever.
Mais si ce fier honneur toujours inexorable 1815
Ne se peut apaiser sans la mort du coupable,
N'armez plus contre moi le pouvoir des humains,
Ma tête est à vos pieds, vengez-vous par vos mains ;
Vos mains seules ont droit de vaincre un invincible,
Prenez une vengeance à tout autre impossible ; 1820
Mais du moins que ma mort suffise à me punir,
Ne me bannissez point de votre souvenir,
Et puisque mon trépas conserve votre gloire,
Pour vous en revancher conservez ma mémoire,
Et dites quelquefois, en songeant à mon sort, 1825
« S'il ne m'avait aimée il ne serait pas mort ».

CHIMÈNE

Relève-toi, Rodrigue. Il faut l'avouer, Sire,
Mon amour a paru, je ne m'en puis dédire,
Rodrigue a des vertus que je ne puis haïr,
Et vous êtes mon Roi, je vous dois obéir. 1830
Mais à quoi que déjà vous m'ayez condamnée,
Sire, quelle apparence à ce triste Hyménée,
Qu'un même jour commence et finisse mon deuil,
Mette en mon lit Rodrigue, et mon père au cercueil ?
C'est trop d'intelligence[1] avec son homicide, 1835

1. *Intelligence* : connivence, complicité.

Vers ses Mânes sacrés c'est me rendre perfide,
Et souiller mon honneur d'un reproche éternel,
D'avoir trempé mes mains dans le sang paternel.

LE ROI

Le temps assez souvent a rendu légitime
1840 Ce qui semblait d'abord ne se pouvoir sans crime.
Rodrigue t'a gagnée, et tu dois être à lui,
Mais quoique sa valeur t'ait conquise aujourd'hui,
Il faudrait que je fusse ennemi de ta gloire
Pour lui donner sitôt le prix de sa victoire.
1845 Cet Hymen différé ne rompt point une loi
Qui sans marquer de temps lui destine ta foi.
Prends un an si tu veux pour essuyer tes larmes.
Rodrigue cependant, il faut prendre les armes.
Après avoir vaincu les Mores sur nos bords,
1850 Renversé leurs desseins, repoussé leurs efforts,
Va jusqu'en leur pays leur reporter la guerre,
Commander mon armée, et ravager leur terre.
À ce seul nom de Cid ils trembleront d'effroi,
Ils t'ont nommé Seigneur, et te voudront pour Roi,
1855 Mais parmi tes hauts faits sois-lui toujours fidèle,
Reviens-en, s'il se peut, encor plus digne d'elle,
Et par tes grands exploits fais-toi si bien priser
Qu'il lui soit glorieux alors de t'épouser.

DON RODRIGUE

Pour posséder Chimène, et pour votre service,
1860 Que peut-on m'ordonner que mon bras
[n'accomplisse ?
Quoi qu'absent de ses yeux il me faille endurer,
Sire, ce m'est trop d'heur de pouvoir espérer.

LE ROI

Espère en ton courage, espère en ma promesse,
Et possédant déjà le cœur de ta maîtresse,
Pour vaincre un point d'honneur qui combat contre 1865
[toi
Laisse faire le temps, ta vaillance, et ton Roi.

Le Cid

TRAGÉDIE

VARIANTES

1660 : LE THÉÂTRE DE P. CORNEILLE, II. Partie, Augustin Courbé

1682 : LE THÉÂTRE DE P. CORNEILLE, II. Partie, Guillaume de Luyne

DÉCOUPAGE DES DEUX PRINCIPALES VERSIONS DE LA PIÈCE

1637	1660-1682
ACTE I	
v. 1-32 : Sc. 1, Le Comte, Elvire — Le Comte accepte le choix que sa fille Chimène a fait de Rodrigue et demande à Elvire de la sonder pour connaître exactement ses sentiments. *v. 33-52 : Sc. 2*, Chimène, Elvire — Elvire rapporte à Chimène les bonnes dispositions de son père à l'égard de Rodrigue.	*v. 1-58 : Sc. 1*, Chimène, Elvire — Chimène apprend d'Elvire que le Comte, son père, est favorable à son idylle avec Rodrigue et approuve son choix.
v. 53-144, Sc. 3, L'Infante, Léonor, Le Page — L'Infante avoue l'amour qu'elle a pour Rodrigue et, dans l'impossibilité où son rang la met d'obéir à ses sentiments, accepte de se retirer devant Chimène.	*v. 59-150, Sc. 2*
v. 145-234, Sc. 4, Le Comte, Don Diègue — Le Roi ayant choisi Don Diègue pour gouverneur de son fils de préférence au Comte, celui-ci exprime son amertume et soufflette Don Diègue.	*v. 151-236, Sc. 3*

1637	1660-1682
v. 235-262, Sc. 5, Don Diègue — Resté seul, Don Diègue cède au désespoir.	*v. 237-260, Sc. 4*
v. 263-292, Sc. 6, Don Diègue, Don Rodrigue — Don Diègue confie à son fils Rodrigue le soin de venger l'affront qui lui a été fait.	*v. 261-290, Sc. 5*
v. 293-352, Sc. 7, Rodrigue — Rodrigue, face à la cruelle situation où il est de devoir sacrifier son amour ou son honneur, choisit d'obéir à son père et de le venger.	*v. 291-350, Sc. 6*

ACTE II

1637	1660-1682
v. 353-398, Sc. 1, Don Arias, le Comte — Le Comte, pressé par Don Arias de céder à la volonté du Roi qui demande qu'il répare son geste, refuse d'obéir.	*v. 351-396, Sc. 1*
v. 399-444, Sc. 2, Le Comte, Don Rodrigue — Devant Rodrigue, le Comte refuse de céder. Les deux hommes se provoquent.	*v. 397-442, Sc. 2*
v. 445-501, Sc. 3, L'Infante, Chimène, Léonor — Chimène confie son inquiétude à l'Infante, qui essaie de la rassurer.	*v. 443-499, Sc. 3*
v. 502-507, Sc. 4, L'Infante, Chimène, Léonor, Le Page — Le Page prévient les deux femmes que Rodrigue et le Comte sont tête à tête.	*v. 500-505, Sc. 4*
v. 508-558, Sc. 5, L'Infante, Léonor — L'Infante avoue sa propre inquiétude, tout en voyant dans la situation nouvelle une possibilité de pouvoir gagner Rodrigue.	*v. 506-556, Sc. 5*

1637	1660-1682
v. 559-652, Sc. 6, Le Roi, Don Arias, Don Sanche, Don Alonse — Le Roi est prêt à punir le Comte. Mais Don Alonse vient annoncer que Rodrigue a tué le Comte.	*v. 557-632, Sc. 6*, Le Roi, Don Arias, Don Sanche. *v. 632-646, Sc. 7*, Le Roi, Don Sanche, Don Alonse.
v. 653-750, Sc. 7, Le Roi, Don Diègue, Chimène, Don Sanche, Don Arias, Don Alonse — Don Diègue et Chimène viennent tous deux devant le Roi pour lui réclamer chacun de leur côté justice.	*v. 647-740, Sc. 8*
ACTE III	
v. 751-782, Sc. 1, Don Rodrigue, Elvire — Rodrigue surgit dans la maison de Chimène, à la grande surprise d'Elvire qui le fait se cacher.	*v. 741-772, Sc. 1*
v. 783-802, Sc. 2, Don Sanche, Chimène, Elvire — Don Sanche, entrant avec Chimène, propose à celle-ci son épée pour la venger. Chimène temporise et ne s'engage pas.	*v. 773-792, Sc. 2*
v. 803-858, Sc. 3, Chimène, Elvire — Chimène avoue à Elvire qu'elle ne peut s'empêcher de continuer à aimer Rodrigue.	*v. 793-848, Sc. 3*
v. 859-1010, Sc. 4, Don Rodrigue, Chimène, Elvire — Rodrigue sort de sa cachette, paraît devant Chimène, remet sa vie entre ses mains. Celle-ci lui laisse entendre qu'elle continue à l'aimer.	*v. 849-1000, Sc. 4*
v. 1011-1034, Sc. 5, Don Diègue — Don Diègue, heureux d'être vengé, est inquiet de ne pouvoir trouver Rodrigue.	*v. 1001-1024, Sc. 5*

1637	1660-1682
v. 1035-1110, Sc. 6, Don Diègue, Don Rodrigue — Retrouvant son fils, Don Diègue l'engage à oublier sa douleur sentimentale pour se consacrer à la défense de l'État contre les Mores qui arrivent.	*v. 1025-1100, Sc. 6*
ACTE IV	
v. 1111-1152, Sc. 1, Chimène, Elvire — Chimène apprend d'Elvire la victoire que Rodrigue vient de remporter sur les Mores.	*v. 1101-1142, Sc. 1*
v. 1153-1218, Sc. 2, L'Infante, Chimène, Léonor, Elvire — L'Infante pousse Chimène à se montrer moins intransigeante envers Rodrigue et, devant l'exploit qu'il vient d'accomplir, de renoncer à sa vengeance.	*v. 1143-1208, Sc. 2*
v. 1219-1339, Sc. 3, Le Roi, Don Diègue, Don Arias, Don Rodrigue, Don Sanche — Récit de Rodrigue qui raconte au Roi les circonstances de sa victoire sur les Mores.	*v. 1209-1329, Sc. 3*
v. 1340-1347, Sc. 4, Le Roi, Don Diègue, Don Rodrigue, Don Arias, Don Alonse, Don Sanche — Don Alonse annonce l'arrivée de Chimène ; le Roi fait sortir Rodrigue.	*v. 1330-1337, Sc. 4*
v. 1347-1474, Sc. 5, Le Roi, Don Diègue, Don Arias, Don Sanche, Don Alonse, Chimène, Elvire — Le Roi, pour éprouver les sentiments de Chimène, feint que Rodrigue soit mort. Après s'être évanouie, Chimène, détrompée, retrouve ses	*v. 1337-1464, Sc. 5*

1637	1660-1682
esprits et accepte que Don Sanche soit le défenseur de son honneur contre Rodrigue.	
ACTE V	
v. 1475-1574, Sc. 1, Don Rodrigue, Chimène — Rodrigue vient dire à Chimène qu'il va se laisser vaincre et tuer par Don Sanche ; elle l'engage à n'en rien faire et lui fait paraître son amour.	*v. 1465-1564, Sc. 1*
v. 1575-1606, Sc. 2, L'Infante — Plaintes de l'Infante déchirée entre son amour pour Rodrigue et l'impossibilité de le vivre.	*v. 1565-1596, Sc. 2*
v. 1607-1654, Sc. 3, L'Infante, Léonor — L'Infante fait part de ses tourments à Léonor, mais se résout à laisser Rodrigue à Chimène.	*v. 1597-1644, Sc. 3*
v. 1655-1714, Sc. 4, Chimène, Elvire — Chimène confiant son déchirement à Elvire laisse entendre qu'elle espère voir Rodrigue triompher de Don Sanche.	*v. 1645-1704, Sc. 4*
v. 1715-1748, Sc. 5, Don Sanche, Chimène, Elvire — Don Sanche survient. Le croyant vainqueur, Chimène laisse éclater sa colère et son mépris contre lui, et le repousse.	*v. 1705-1722, Sc. 5* — Chimène repousse Don Sanche qu'elle croit vainqueur.
v. 1749-1798, Sc. 6, Le Roi, Don Diègue, Don Arias, Don Sanche, Don Alonse, Chimène, Elvire — Le Roi annonce la victoire de Rodrigue qui a épargné Don Sanche, et demande à Chimène d'épouser Rodrigue.	*v. 1723-1772, Sc. 6*

1637	1660-1682
v. 1799-1866, Sc. 7, Le Roi, Don Diègue, Don Arias, Don Rodrigue, Don Alonse, Don Sanche, L'Infante, Chimène, Léonor, Elvire — Chimène, tout en avouant qu'elle aime Rodrigue, demande au Roi de repousser le mariage. Celui-ci accepte et envoie Rodrigue combattre contre les Mores pour y accroître encore sa gloire.	*v. 1773-1840, Sc. 7* — Chimène, tout en ne niant pas son amour pour Rodrigue, ne se résout pas au mariage. Le Roi laisse le temps faire son œuvre.

PRINCIPALES VARIANTES DES ÉDITIONS DE 1660-1682

ACTE I, SCÈNE I

CHIMÈNE, ELVIRE

CHIMÈNE

Elvire, m'as-tu fait un rapport bien sincère ?
Ne déguises-tu rien de ce qu'a dit mon père ?

ELVIRE

Tous mes sens à moi-même en sont encor charmés,
Il estime Rodrigue autant que vous l'aimez,
Et si je ne m'abuse à lire dans son âme, 5
Il vous commandera de répondre à sa flamme.

CHIMÈNE

Dis-moi donc, je te prie, une seconde fois
Ce qui te fait juger qu'il approuve mon choix,
Apprends-moi de nouveau quel espoir j'en dois [prendre ;
Un si charmant discours ne se peut trop entendre ; 10
Tu ne peux trop promettre aux feux de notre amour

La douce liberté de se montrer au jour.
Que t'a-t-il répondu sur la secrète brigue
Que font auprès de toi Don Sanche et Don Rodrigue ?
15 N'as-tu point trop fait voir quelle inégalité
Entre ces deux amants me penche d'un côté ?

ELVIRE

Non ; j'ai peint votre cœur dans une indifférence
Qui n'enfle d'aucun d'eux ni détruit l'espérance,
Et sans les voir d'un œil trop sévère ou trop doux,
20 Attend l'ordre d'un père à choisir un époux.
Ce respect l'a ravi, sa bouche et son visage
M'en ont donné sur l'heure un digne témoignage,
Et puisqu'il vous en faut encor faire un récit,
Voici d'eux et de vous ce qu'en hâte il m'a dit :
25 « Elle est dans le devoir ; tous deux sont dignes d'elle,
Tous deux formés d'un sang, noble, vaillant, fidèle,
Jeunes, mais qui font lire aisément dans leurs yeux
L'éclatante vertu de leurs braves aïeux.
Don Rodrigue surtout n'a trait en son visage
30 Qui d'un homme de cœur ne soit la haute image,
Et sort d'une maison si féconde en guerriers,
Qu'ils y prennent naissance au milieu des lauriers.
La valeur de son père, en son temps sans pareille,
Tant qu'a duré sa force, a passé pour merveille ;
35 Ses rides sur son front ont gravé ses exploits,
Et nous disent encor ce qu'il fut autrefois.
Je me promets du fils ce que j'ai vu du père,
Et ma fille, en un mot, peut l'aimer et me plaire. »
Il allait au Conseil, dont l'heure qui pressait
40 A tranché ce discours qu'à peine il commençait ;
Mais à ce peu de mots je crois que sa pensée

Entre vos deux amants n'est pas fort balancée.
Le Roi doit à son fils élire un Gouverneur,
Et c'est lui que regarde un tel degré d'honneur :
Ce choix n'est pas douteux, et sa rare vaillance 45
Ne peut souffrir qu'on craigne aucune concurrence.
Comme ses hauts exploits le rendent sans égal,
Dans un espoir si juste il sera sans rival ;
Et puisque Don Rodrigue a résolu son père
Au sortir du Conseil à proposer l'affaire, 50
Je vous laisse à juger s'il prendra bien son temps,
Et si tous vos désirs seront bientôt contents.

CHIMÈNE

Il semble toutefois que mon âme troublée
Refuse cette joie, et s'en trouve accablée :
Un moment donne au sort des visages divers, 55
Et dans ce grand bonheur je crains un grand revers.

ELVIRE

Vous verrez cette crainte heureusement déçue.

CHIMÈNE

Allons, quoi qu'il en soit, en attendre l'issue.

ACTE II, SCÈNE I
(fin de la scène)

[...]

DON ARIAS

Adieu donc, puisqu'en vain je tâche à vous résoudre :
Avec tous vos lauriers, craignez encor le foudre. 390

LE COMTE

Je l'attendrai sans peur.

DON ARIAS

Mais non pas sans effet.

LE COMTE

Nous verrons donc par là Don Diègue satisfait.
Il est seul.
Qui ne craint point la mort ne craint point les [menaces.
J'ai le cœur au-dessus des plus fières disgrâces ;
395 Et l'on peut me réduire à vivre sans bonheur,
Mais non pas me résoudre à vivre sans honneur.

ACTE II, SCÈNE VI
(fin de la scène)

[...]

DON FERNAND (Le Roi)

[...]
D'ailleurs l'affront me touche : il a perdu d'honneur
Celui que de mon fils j'ai fait le Gouverneur ;
605 S'attaquer à mon choix, c'est se prendre à moi- [même,
Et faire un attentat sur le pouvoir suprême.
N'en parlons plus. Au reste, on a vu dix vaisseaux
De nos vieux ennemis arborer les drapeaux ;
Vers la bouche du fleuve ils ont osé paraître.

DON ARIAS

Les Mores ont appris par force à vous connaître, 610
Et tant de fois vaincus, ils ont perdu le cœur
De se plus hasarder contre un si grand vainqueur.

DON FERNAND

Ils ne verront jamais sans quelque jalousie
Mon sceptre, en dépit d'eux, régir l'Andalousie ;
Et ce pays si beau, qu'ils ont trop possédé, 615
Avec un œil d'envie est toujours regardé.
C'est l'unique raison qui m'a fait dans Séville
Placer depuis dix ans le trône de Castille,
Pour les voir de plus près, et d'un ordre plus prompt
Renverser aussitôt ce qu'ils entreprendront. 620

DON ARIAS

Ils savent aux dépens de leurs plus dignes têtes
Combien votre présence assure vos conquêtes :
Vous n'avez rien à craindre.

DON FERNAND

Et rien à négliger :
Le trop de confiance attire le danger,
Et vous n'ignorez pas qu'avec fort peu de peine 625
Un flux de pleine mer jusqu'ici les amène.
Toutefois j'aurais tort de jeter dans les cœurs,
L'avis étant mal sûr, de Paniques terreurs.
L'effroi que produirait cette alarme inutile,
Dans la nuit qui survient troublerait trop la ville : 630
Faites doubler la garde aux murs et sur le port.
C'est assez pour ce soir.

ACTE II, SCÈNE VII
(début de la scène)

DON FERNAND, DON SANCHE, DON ALONSE

DON ALONSE

Sire, le Comte est mort.
Don Diègue, par son fils, a vengé son offense. [...]

ACTE V, SCÈNE V

DON SANCHE, CHIMÈNE, ELVIRE

DON SANCHE

1705 Obligé d'apporter à vos pieds cette épée...

CHIMÈNE

Quoi ? du sang de Rodrigue encor toute trempée ?
Perfide, oses-tu bien te montrer à mes yeux,
Après m'avoir ôté ce que j'aimais le mieux ?
Éclate, mon amour, tu n'as plus rien à craindre :
1710 Mon père est satisfait, cesse de te contraindre.
Un même coup a mis ma gloire en sûreté,
Mon âme au désespoir, ma flamme en liberté.

DON SANCHE

D'un esprit plus rassis...

CHIMÈNE

Tu me parles encore,
Exécrable assassin d'un Héros que j'adore ?

Va, tu l'as pris en traître ; un guerrier si vaillant 1715
N'eût jamais succombé sous un tel assaillant.
N'espère rien de moi, tu ne m'as point servie :
En croyant me venger, tu m'as ôté la vie.

DON SANCHE

Étrange impression, qui loin de m'écouter…

CHIMÈNE

Veux-tu que de sa mort je t'écoute vanter, 1720
Que j'entende à loisir avec quelle insolence
Tu peindras son malheur, mon crime et ta vaillance ?

ACTE V, SCÈNE VII (extrait)

[…]

CHIMÈNE

Relève-toi, Rodrigue. Il faut l'avouer, Sire,
Je vous en ai trop dit pour m'en pouvoir dédire.
Rodrigue a des vertus que je ne puis haïr ;
Et quand un roi commande, on lui doit obéir.
Mais à quoi que déjà vous m'ayez condamnée, 1805
Pourrez-vous à vos yeux souffrir cet Hyménée ?
Et quand de mon devoir vous voulez cet effort,
Toute votre justice en est-elle d'accord ?
Si Rodrigue à l'État devient si nécessaire,
De ce qu'il fait pour vous dois-je être le salaire, 1810
Et me livrer moi-même au reproche éternel
D'avoir trempé mes mains dans le sang paternel ?

[…]

TEXTES LIMINAIRES

1. ÉDITIONS DE 1648-1656

AVERTISSEMENT DE CORNEILLE

« Avía pocos días antes hecho campo con D. Gómez, conde de Gormaz. Venciól e y dióle la muerte. Lo que resultó de este caso fué que casó con doña Ximena, hija y heredera del mismo conde. Ella misma requirió al Rey que se le diesse por marido, ca estaba muy prendada de sus partes, o le castigasse conforme a las leyes, por la muerte que dió a su padre. Hízose el casamiento, que a todos estaba a cuento, con el qual por el gran dote de su esposa, que se allegó al estado que el tenia de su padre, se aumentó en poder y riquezas » (MARIANA, Lib. IX de *Historia d'España*, Ve)[1].

1. « Il avait eu auparavant un duel avec Don Gomès, comte de Gormaz. Il le vainquit et lui donna la mort. Le résultat de cet événement fut qu'il se maria avec doña Chimène, fille et héritière de ce seigneur. Elle-même demanda au Roi qu'il le lui donnât pour

Voilà ce qu'a prêté l'histoire à Don Guillén de Castro, qui a mis ce fameux événement sur le théâtre avant moi. Ceux qui entendent l'espagnol y remarqueront deux circonstances : l'une, que Chimène, ne pouvant s'empêcher de reconnaître et d'aimer les belles qualités qu'elle voyait en Don Rodrigue, quoiqu'il eût tué son père (*estaba prendada de sus partes*), alla proposer elle-même au Roi cette généreuse alternative, ou qu'il le lui donnât pour mari, ou qu'il le fît punir suivant les lois ; l'autre, que ce mariage se fit au gré de tout le monde (*a todos estaba a cuento*). Deux chroniques du *Cid* ajoutent qu'il fut célébré par l'archevêque de Séville, en présence du Roi et de toute sa cour ; mais je me suis contenté du texte de l'historien, parce que toutes les deux ont quelque chose qui sent le roman et peuvent ne persuader pas davantage que celles que nos Français ont faites de Charlemagne et de Roland. Ce que j'ai rapporté de Mariana suffit pour faire voir l'état qu'on fit de Chimène et de son mariage dans son siècle même, où elle vécut en un tel éclat que les rois d'Aragon et de Navarre tinrent à honneur d'être ses gendres, en épousant ses deux filles[1]. Quelques-uns ne l'ont pas

---

mari, car elle était fort éprise de ses qualités, ou qu'il le châtiât conformément aux lois, pour avoir donné la mort à son père. Le mariage, qui agréait à tous, s'accomplit ; ainsi grâce à la dot considérable de son épouse, qui s'ajouta aux biens qu'il tenait de son père, il grandit en pouvoir et en richesses » (traduction de Marty-Laveaux, *Œuvres* de Corneille, coll. des Grands Écrivains de la France, t. III). Le Père Juan de Mariana, jésuite, avait écrit son *Histoire de l'Espagne* d'abord en latin, en 1592, puis il la traduisit en espagnol en 1601.

1. Doña Elvire, la fille aînée du Cid, épousa Don Ramire, le roi de Navarre, et Doña Sol, la cadette, l'infant Don Sanche d'Aragon.

si bien traitée dans le nôtre : et sans parler de ce qu'on a dit de la Chimène du théâtre, celui qui a composé l'histoire d'Espagne en français[1] l'a notée[2] dans son livre de s'être tôt et aisément consolée de la mort de son père, et a voulu taxer de légèreté une action qui fut imputée à grandeur de courage par ceux qui en furent les témoins. Deux romances espagnols, que je vous donnerai en suite de cet *Avertissement*, parlent encore plus en sa faveur. Ces sortes de petits poèmes sont comme des originaux décousus de leurs anciennes histoires ; et je serais ingrat envers la mémoire de cette héroïne, si, après l'avoir fait connaître en France et m'y être fait connaître par elle, je ne tâchais de la tirer de la honte qu'on lui a voulu faire[3], parce qu'elle a passé par mes mains. Je vous donne donc ces pièces justificatives de la réputation où elle a vécu, sans dessein de justifier la façon dont je l'ai fait parler français. Le temps l'a fait pour moi, et les traductions qu'on en a faites en toutes les langues qui servent aujourd'hui à la scène, et chez tous les peuples où l'on voit des théâtres, je veux dire en italien, flamand et anglais, sont d'assez glorieuses apologies contre tout ce qu'on en a dit. Je n'y ajouterai pour toute chose qu'environ une douzaine de

1. Loys de Mayerne Turquet, auteur d'une *Histoire générale d'Espagne*, publiée à Lyon en 1587, rééditée à Paris en 1635.

2. *Notée* : blâmée, marquée de la « note » (du latin « nota », marque d'infamie).

3. Scudéry, dans ses *Observations sur le Cid*, avait qualifié Chimène de « fille dénaturée », de « monstre », d'« impudique », et les *Sentiments de l'Académie* avaient confirmé ce jugement, désignant la jeune fille comme « dénaturée » et de « mœurs scandaleuses ».

vers espagnols, qui semblent faits exprès pour la défendre. Ils sont du même auteur qui l'a traitée avant moi, Don Guillén de Castro, qui, dans une autre comédie qu'il intitule *Engañarse engañando*[1], fait dire à une princesse de Béarn :

A mirar
bien el mundo, que el tener
apetitos que vencer,
y ocasiones que dexar.

Examinan el valor
en la muger, yo dixera
lo que siento, porque fuera
luzimiento de mi honor.

Pero malicias fundadas
en honras mal entendidas
de tentaciones vencidas
hazen culpas declaradas :

Y así, la que el desear
con el resistir apunta,
vence dos vezes, si junta
con el resistir el callar[2].

1. La comédie de Guillén de Castro, *Engañarse engañando, Se tromper en trompant*, a été imprimée en 1625.

2. « Si le monde a raison de dire que ce qui éprouve le mérite d'une femme c'est d'avoir des désirs à vaincre, des occasions à rejeter, je n'aurais ici qu'à exprimer ce que je sens : mon honneur n'en deviendrait que plus éclatant. Mais une malignité qui se prévaut de notions d'honneur mal entendues convertit volontiers en un aveu de faute ce qui n'est que la tentation vaincue. Dès lors, la

C'est, si je ne me trompe, comme agit Chimène dans mon ouvrage, en présence du Roi et de l'Infante. Je dis en présence du Roi et de l'Infante, parce que, quand elle est seule, ou avec sa confidente, ou avec son amant, c'est une autre chose. Ses mœurs sont inégalement égales, pour parler en termes de notre Aristote[1], et changent suivant les circonstances des lieux, des personnes, des temps et des occasions, en conservant toujours le même principe.

Au reste, je me sens obligé de désabuser le public de deux erreurs qui s'y sont glissées touchant cette tragédie, et qui semblent avoir été autorisées par mon silence. La première est que j'aie convenu de juges touchant son mérite, et m'en sois rapporté au sentiment de ceux qu'on a priés d'en juger[2]. Je m'en tairais encore, si ce faux bruit n'avait été jusque chez M. de Balzac dans sa province, ou, pour me servir de ses paroles mêmes, dans son désert[3], et si je n'en

---

femme qui désire et qui résiste également vaincra deux fois, si en résistant elle sait encore se taire » (traduction de Marty-Laveaux, *op. cit.*, t. III).

1. Référence à une expression qu'utilise Aristote dans sa *Poétique* (XV, 5), ὁμαλῶς ἀνώμαλον, et que Corneille reprendra dans son premier discours, *Du poème dramatique*, en 1660.

2. Allusion au jugement de l'Académie, à qui *Le Cid* avait été soumis contre la volonté de Corneille. On peut relever que l'Avertissement, qui est comme la réponse de Corneille à l'Académie, est publiée en 1648, c'est-à-dire après la mort de Richelieu (1642) et l'entrée de Corneille à l'Académie (1647).

3. Guez de Balzac s'était retiré en Charente, dans les environs d'Angoulême (désert, lieu retiré, propice à la solitude). En août 1637, il envoya une « lettre à M. de Scudéry sur *Le Cid* », laquelle se trouve dans *Les Lettres choisies du sieur de Balzac*, regroupées

avais vu depuis peu les marques dans cette admirable lettre qu'il a écrite sur ce sujet, et qui ne fait pas la moindre richesse des deux derniers trésors qu'il nous a donnés. Or comme tout ce qui part de sa plume regarde toute la postérité, maintenant que mon nom est assuré de passer jusqu'à elle dans cette lettre incomparable, il me serait honteux qu'il y passât avec cette tache, et qu'on pût à jamais me reprocher d'avoir compromis de ma réputation. C'est une chose qui jusqu'à présent est sans exemple ; et de tous ceux qui ont été attaqués comme moi, aucun que je sache n'a eu assez de faiblesse pour convenir d'arbitres avec ses censeurs ; et s'ils ont laissé tout le monde dans la liberté publique d'en juger, ainsi que j'ai fait, ç'a été sans s'obliger, non plus que moi, à en croire personne ; outre que dans la conjoncture où étaient lors les affaires du *Cid*, il ne fallait pas être grand devin pour prévoir ce que nous en avons vu arriver. À moins que d'être tout à fait stupide, on ne pouvait pas ignorer que comme les questions de cette nature ne concernent ni la religion ni l'État, on en peut décider par les règles de la prudence humaine, aussi bien que par celles du théâtre, et tourner sans scrupule le sens

---

en deux volumes, en 1647. Dans cette « lettre admirable », Balzac oppose aux arguments de Scudéry le succès remporté par la pièce de Corneille : « Si *Le Cid* est coupable, écrit-il, c'est d'un crime qui a eu récompense ; s'il est puni, ce sera après avoir triomphé ; s'il faut que Platon le bannisse de sa république, il faut qu'il le couronne de fleurs en le bannissant, et ne le traite pas plus mal qu'il n'a traité autrefois Homère ; si Aristote trouve quelque chose à désirer en sa conduite, il doit le laisser jouir de sa bonne fortune, et ne pas condamner un dessein que le succès a justifié. »

du bon Aristote du côté de la politique[1]. Ce n'est pas que je sache si ceux qui ont jugé du *Cid* en ont jugé suivant leur sentiment ou non, ni même que je veuille dire qu'ils en aient bien ou mal jugé, mais seulement que ce n'a jamais été de mon consentement qu'ils en ont jugé, et que peut-être je l'aurais justifié sans beaucoup de peine, si la même raison qui les a fait parler ne m'avait obligé à me taire[2]. Aristote ne s'est pas expliqué si clairement dans sa *Poétique* que nous n'en puissions faire ainsi que les philosophes, qui le tirent chacun à leur parti dans leurs opinions contraires ; et comme c'est un pays inconnu pour beaucoup de monde, les plus zélés partisans du *Cid* en ont cru ses censeurs sur leur parole et se sont imaginé avoir pleinement satisfait à toutes leurs objections, quand ils ont soutenu qu'il importait peu qu'il fût selon les règles d'Aristote, et qu'Aristote en avait fait pour son siècle et pour des Grecs, et non pas pour le nôtre et pour des Français.

Cette seconde erreur, que mon silence a affermie, n'est pas moins injurieuse à Aristote qu'à moi. Ce grand homme a traité la poétique avec tant d'adresse et de jugement que les préceptes qu'il nous en a laissés sont de tous les temps et de tous les peuples ; et bien loin de s'amuser au détail des bienséances et des agréments, qui peuvent être divers selon que ces deux circonstances sont diverses, il a été droit aux mouvements de l'âme, dont la nature ne change point. Il a

1. La *politique*, au sens figuré : art de transiger, de trouver un accommodement.

2. Richelieu, par l'intermédiaire de Boisrobert, avait demandé à Corneille de ne pas répondre aux *Sentiments de l'Académie*.

montré quelles passions la tragédie doit exciter dans celles de ses auditeurs ; il a cherché quelles conditions sont nécessaires, et aux personnes qu'on introduit, et aux événements qu'on représente, pour les y faire naître ; il en a laissé des moyens qui auraient produit leur effet partout dès la création du monde, et qui seront capables de le produire encore partout, tant qu'il y aura des théâtres et des acteurs ; et pour le reste, que les lieux et les temps peuvent changer, il l'a négligé, et n'a pas même prescrit le nombre des actes, qui n'a été réglé que par Horace beaucoup après lui.

Et certes, je serais le premier qui condamnerais *Le Cid,* s'il péchait contre ces grandes et souveraines maximes que nous tenons de ce philosophe ; mais bien loin d'en demeurer d'accord, j'ose dire que cet heureux poème n'a si extraordinairement réussi que parce qu'on y voit les deux maîtresses conditions (permettez-moi cette épithète) que demande ce grand maître aux excellentes tragédies, et qui se trouvent si rarement assemblées dans un même ouvrage qu'un des plus doctes commentateurs de ce divin traité qu'il en a fait soutient que toute l'Antiquité ne les a vues se rencontrer que dans le seul *Œdipe*[1]. La première est que celui qui souffre et est persécuté ne soit ni tout méchant ni tout vertueux, mais un homme plus vertueux que méchant qui, par quelque trait de faiblesse humaine qui ne soit pas un crime, tombe dans un malheur qu'il ne mérite pas ; l'autre, que la persé-

1. Ce savant commentateur est Francesco Robortello, qui avait publié en 1548 à Florence une édition avec commentaires de *La Poétique* d'Aristote.

cution et le péril ne viennent point d'un ennemi, ni d'un indifférent, mais d'une personne qui doive aimer celui qui souffre et en être aimée[1]. Et voilà, pour en parler sainement, la véritable et seule cause de tout le succès du *Cid,* en qui l'on ne peut méconnaître ces deux conditions, sans s'aveugler soi-même pour lui faire injustice. J'achève donc en m'acquittant de ma parole, et après vous avoir dit en passant ces deux mots pour le Cid du théâtre, je vous donne, en faveur de la Chimène de l'histoire, les deux romances que je vous ai promis.

J'oubliais à vous dire que quantité de mes amis ayant jugé à propos que je rendisse compte au public de ce que j'avais emprunté de l'auteur espagnol dans cet ouvrage, et m'ayant témoigné le souhaiter, j'ai bien voulu leur donner cette satisfaction. Vous trouverez donc tout ce que j'en ai traduit imprimé d'une autre lettre[2], avec un chiffre au commencement, qui servira de marque de renvoi pour trouver les vers espagnols au bas de la même page. Je garderai ce même ordre dans *La Mort de Pompée* pour les vers de Lucain, ce qui n'empêchera pas que je ne continue aussi ce même changement de lettre toutes les fois que mes acteurs rapportent quelque chose qui s'est dit ailleurs que sur le théâtre, où vous n'imputerez rien qu'à moi si vous n'y voyez ce chiffre pour marque, et le texte d'un autre auteur au-dessous.

1. Toutes ces considérations seront reprises par Corneille en 1660 dans son *Discours sur la tragédie.*
2. *Lettre* : caractère d'imprimerie (en italique).

Romance primero

Delante el rey de León
doña Ximena una tarde
se pone a pedir justicia
por la muerte de su padre.

Para contra el Cid la pide,
don Rodrigo de Bivare,
que huérfana la dexó,
niña, y de muy poca edade.

Si tengo razón, o non,
bien, rey, lo alcanzas y sabes,
que los negocios de honra
no pueden disimularse.

Cada día que amanece,
veo al lobo de mi sangre,
caballero en un caballo,
por darme mayor pesare[1].

1. Première romance : « Par-devant le roi de Léon, un soir se présente doña Chimène, demandant justice pour la mort de son père. / Elle demande justice contre le Cid, don Rodrigue de Bivar, qui l'a rendue orpheline dès son enfance, quand elle comptait encore bien peu d'années. / Si j'ai raison d'agir ainsi, ô Roi, tu le comprends, tu le sais bien : les devoirs de l'honneur ne se laissent point méconnaître. / Chaque jour que le matin ramène, je vois celui qui s'est repu comme un loup de mon sang, passer pour renouveler mes chagrins, chevauchant sur un destrier. »

Mándale, buen rey, pues puedes
que no me ronde mi calle :
que no se venga en mugeres
el hombre que mucho vale.

Si mi padre afrentó al suyo,
bien ha vengado a su padre,
que si honras pagaron muertes,
para su disculpa basten.

Encomendada me tienes,
no consientas que me agravien,
que el que á mi se fiziere
á tu corona se faze.

— Calledes, doña Ximena,
que me dades pena grande,
que yo daré buen remedio
para todos vuestros males[1].

1. « Ordonne-lui, bon roi, car tu le peux, de ne plus aller et venir par la rue que j'habite : un homme de valeur n'exerce pas sa vengeance contre une femme. / Si mon père fit affront au sien, il l'a bien vengé, et si la mort a payé le prix de l'honneur, que cela suffise à le tenir quitte. / J'appartiens à ta tutelle, ne permets pas que l'on m'offense. L'offense qu'on peut me faire s'adresse à ta couronne. / — Taisez-vous, doña Chimène ; vous m'affligez vivement. Mais je saurai bien remédier à toutes vos peines. »

Al Cid no le he de ofender,
que es hombre que mucho vale
y me defiende mis reynos,
y quiero que me los guarde.

Pero yo faré un partido
con él, que no os esté male
de tomalle la palabra
para que con vos se case.

Contenta quedó Ximena
con la merced que le faze
que quien huérfana la fizo
aquesse mismo la ampare.

Romance segundo

A Ximena y a Rodrigo
prendió el rey palabra y mano
de juntarlos, para en uno
en presencia de Layn Calvo[1].

1. « Je ne saurais faire du mal au Cid ; car c'est un homme de grande valeur, il est le défenseur de mes royaumes et je veux qu'il me les conserve. / Mais je ferai avec lui un accommodement dont vous ne vous trouverez point mal : c'est de prendre sa parole pour qu'il se marie avec vous. / Chimène demeure satisfaite, agréant cette merci du Roi, qui lui destine pour protecteur celui qui l'a faite orpheline. »

Seconde romance : « De Rodrigue et de Chimène le Roi prit la parole et la main, afin de les unir ensemble en présence de Layn Calvo. »

Las enemistades viejas
con amor se conformaron,
que donde preside amor
se olvidan muchos agravios..

Llegaron juntos los novios,
y al dar la mano, y abraço,
el Cid mirando a la novia,
le dixo todo turbado :

Maté a tu padre, Ximena,
pero no a desaguisado,
matéle de hombre a hombre,
para vengar cierto agravio.

Maté hombre, y hombre doy
aquí estoy a tu mandado,
y en lugar del muerto padre
cobraste un marido honrado[1].

1. « Les inimitiés anciennes furent réconciliées par l'amour ; car où préside l'amour, bien des torts s'oublient. / Les fiancés arrivèrent ensemble et au moment de donner la main et le baiser, le Cid, regardant la mariée, lui dit tout troublé : / — J'ai tué ton père, Chimène, mais non en trahison, je l'ai tué d'homme à homme, pour venger une réelle injure. / — J'ai tué un homme, et je te donne un homme : me voici pour faire droit à ton grief, et au lieu du père mort tu reçois un époux honoré. »

A todos pareció bien,
su discrecion alabaron,
y así se hizieron las bodas
de Rodrigo el Castellano[1].

2. ÉDITIONS DE 1660-1682

EXAMEN DU *CID*

Ce poème a tant d'avantages du côté du sujet et des pensées brillantes dont il est semé que la plupart de ses auditeurs n'ont pas voulu voir les défauts de sa conduite[2] et ont laissé enlever leurs suffrages au plaisir que leur a donné sa représentation. Bien que ce soit celui de tous mes ouvrages réguliers où je me suis permis le plus de licence, il passe encore pour le plus beau auprès de ceux qui ne s'attachent pas à la

1. « Cela parut bien à tous : ils louèrent son prudent propos, et ainsi se firent les noces de Rodrigue le Castillan » (traduction de Marty-Laveaux, *op. cit.*, t. III).
2. *Conduite* : construction dramatique.

dernière sévérité des règles ; et depuis cinquante ans[1] qu'il tient sa place sur nos théâtres, l'histoire ni l'effort de l'imagination n'y ont rien fait voir qui en ait effacé l'éclat. Aussi a-t-il les deux grandes conditions que demande Aristote aux tragédies parfaites, et dont l'assemblage se rencontre si rarement chez les anciens et chez les modernes ; il les assemble même plus fortement et plus noblement que les espèces[2] que pose ce philosophe. Une maîtresse que son devoir force à poursuivre la mort de son amant, qu'elle tremble d'obtenir, a les passions plus vives et plus allumées que tout ce qui peut se passer entre un mari et sa femme, une mère et son fils, un frère et sa sœur ; et la haute vertu dans un naturel sensible à ces passions, qu'elle dompte sans les affaiblir, et à qui elle laisse toute leur force pour en triompher plus glorieusement, a quelque chose de plus touchant, de plus élevé et de plus aimable que cette médiocre bonté, capable d'une faiblesse et même d'un crime, où nos anciens étaient contraints d'arrêter le caractère le plus parfait des rois et des princes dont ils faisaient leurs héros, afin que ces taches et ces forfaits, défigurant ce qu'ils leur laissaient de vertu, s'accommodassent au goût et aux souhaits de leurs spectateurs, et fortifiassent l'horreur qu'ils avaient conçue de leur domination et de la monarchie.

1. En 1660, Corneille écrit « vingt-trois ans », qu'il corrige en 1682 en « cinquante ans », arrondissant les quarante-cinq années écoulées depuis la première représentation.
2. *Espèces* : cas particuliers (terme de jurisprudence).

Rodrigue suit ici son devoir sans rien relâcher de sa passion, Chimène fait la même chose, à son tour, sans laisser ébranler son dessein par la douleur où elle se voit abîmée par là ; et si la présence de son amant lui fait faire quelque faux pas, c'est une glissade dont elle se relève à l'heure même ; et non seulement elle connaît si bien sa faute qu'elle nous en avertit, mais elle fait un prompt désaveu de tout ce qu'une vue si chère lui a pu arracher. Il n'est point besoin qu'on lui reproche qu'il lui est honteux de souffrir l'entretien de son amant après qu'il a tué son père ; elle avoue que c'est la seule prise que la médisance aura sur elle. Si elle s'emporte jusqu'à lui dire qu'elle veut bien qu'on sache qu'elle l'adore et le poursuit, ce n'est point une résolution si ferme, qu'elle l'empêche de cacher son amour de tout son possible lorsqu'elle est en la présence du Roi. S'il lui échappe de l'encourager au combat contre Don Sanche par ces paroles :

Sors vainqueur d'un combat dont Chimène est le [prix,

elle ne se contente pas de s'enfuir de honte au même moment ; mais sitôt qu'elle est avec Elvire, à qui elle ne déguise rien de ce qui se passe dans son âme, et que la vue de ce cher objet ne lui fait plus de violence, elle forme un souhait plus raisonnable, qui satisfait sa vertu et son amour tout ensemble, et demande au Ciel que le combat se termine

Sans faire aucun des deux ni vaincu ni vainqueur.

Si elle ne dissimule point qu'elle penche du côté de Rodrigue, de peur d'être à Don Sanche, pour qui elle a de l'aversion, cela ne détruit point la protestation, qu'elle a faite un peu auparavant, que malgré la loi de ce combat, et les promesses que le Roi a faites à Rodrigue, elle lui fera mille autres ennemis, s'il en sort victorieux. Ce grand éclat même qu'elle laisse faire à son amour après qu'elle le croit mort, est suivi d'une opposition vigoureuse à l'exécution de cette loi qui la donne à son amant, et elle ne se tait qu'après que le Roi l'a différée, et lui a laissé lieu d'espérer qu'avec le temps il y pourra survenir quelque obstacle. Je sais bien que le silence passe d'ordinaire pour une marque de consentement ; mais quand les rois parlent, c'en est une de contradiction : on ne manque jamais à leur applaudir quand on entre dans leurs sentiments ; et le seul moyen de leur contredire avec le respect qui leur est dû, c'est de se taire, quand leurs ordres ne sont pas si pressants qu'on ne puisse remettre à s'excuser de leur obéir lorsque le temps en sera venu, et conserver cependant une espérance légitime d'un empêchement, qu'on ne peut encore déterminément prévoir.

Il est vrai que dans ce sujet il faut se contenter de tirer Rodrigue de péril, sans le pousser jusqu'à son mariage avec Chimène. Il est historique et a plu en son temps ; mais bien sûrement il déplairait au nôtre ; et j'ai peine à voir que Chimène y consente chez l'auteur espagnol, bien qu'il donne plus de trois ans de durée à la comédie qu'il en a faite. Pour ne pas contredire l'histoire, j'ai cru ne me pouvoir dispenser d'en jeter quelque idée, mais avec incertitude de l'effet[1], et ce n'était que par là que je pouvais accorder la bienséance du théâtre avec la vérité de l'événement.

Les deux visites que Rodrigue fait à sa maîtresse ont quelque chose qui choque cette bienséance de la part de celle qui les souffre ; la rigueur du devoir voulait qu'elle refusât de lui parler et s'enfermât dans son cabinet, au lieu de l'écouter ; mais permettez-moi de dire avec un des premiers esprits de notre siècle[2], « que leur conversation est remplie de si beaux sentiments, que plusieurs n'ont pas connu ce défaut, et que ceux qui l'ont connu l'ont toléré ». J'irai plus outre, et dirai que tous presque ont souhaité que ces entretiens se fissent ; et j'ai remarqué aux premières représentations qu'alors que ce malheureux amant se présentait devant elle, il s'élevait un certain frémissement dans l'assemblée, qui marquait une curiosité merveilleuse et un redoublement d'attention pour ce qu'ils avaient à se dire dans un état si pitoyable. Aristote dit qu'« il y a des absurdités qu'il faut laisser dans un poème, quand on peut espérer qu'elles seront bien reçues ; et il est du devoir du poète, en ce cas, de les couvrir de tant de brillants qu'elles puissent éblouir[3]. » Je laisse au jugement de mes auditeurs si

1. L'argument vaut pour *Le Cid* remanié de 1660-1682, mais pas pour la version première de 1637, où Chimène acceptait le mariage, en demandant simplement un certain délai.

2. Il s'agit de l'abbé d'Aubignac, dans sa *Pratique du théâtre*, 1657, IV, II.

3. Aristote, *La Poétique*, XXIV.

je me suis assez bien acquitté de ce devoir pour justifier par là ces deux scènes. Les pensées de la première des deux sont quelquefois trop spirituelles pour partir de personnes fort affligées ; mais outre que je n'ai fait que la paraphraser de l'espagnol, si nous ne nous permettions quelque chose de plus ingénieux que le cours ordinaire de la passion, nos poèmes ramperaient souvent, et les grandes douleurs ne mettraient dans la bouche de nos acteurs que des exclamations et des hélas. Pour ne déguiser rien, cette offre que fait Rodrigue de son épée à Chimène, et cette protestation de se laisser tuer par Don Sanche, ne me plairaient pas maintenant. Ces beautés étaient de mise en ce temps-là et ne le seraient plus en celui-ci. La première est dans l'original espagnol, et l'autre est tirée sur ce modèle. Toutes les deux ont fait leur effet en ma faveur ; mais je ferais scrupule d'en étaler de pareilles à l'avenir sur notre théâtre.

J'ai dit ailleurs[1] ma pensée touchant l'Infante et le Roi ; il reste néanmoins quelque chose à examiner sur la manière dont ce dernier agit, qui ne paraît pas assez vigoureuse, en ce qu'il ne fait pas arrêter le Comte après le soufflet donné, et n'envoie pas des gardes à Don Diègue et à son fils[2]. Sur quoi on peut considérer que Don Fernand étant le premier roi de Castille, et ceux qui en avaient été maîtres auparavant lui n'ayant eu titre que de comtes, il n'était peut-être

1. Pour l'Infante dans le *Discours du poème dramatique*, pour le Roi dans l'*Examen de Clitandre*, et pour les deux dans l'*Examen d'Horace*.

2. Reproche soulevé par Scudéry et par l'Académie.

pas assez absolu sur les grands seigneurs de son royaume pour le pouvoir faire. Chez Don Guillén de Castro, qui a traité ce sujet avant moi, et qui devait mieux connaître que moi quelle était l'autorité de ce premier monarque de son pays, le soufflet se donne en sa présence et en celle de deux ministres d'État, qui lui conseillent, après que le Comte s'est retiré fièrement et avec bravade, et que Don Diègue a fait la même chose en soupirant, de ne le pousser point à bout, parce qu'il a quantité d'amis dans les Asturies, qui se pourraient révolter et prendre parti avec les Mores dont son État est environné. Ainsi il se résout d'accommoder l'affaire sans bruit et recommande le secret à ces deux ministres, qui ont été seuls témoins de l'action. C'est sur cet exemple que je me suis cru bien fondé à le faire agir plus mollement qu'on ne ferait en ce temps-ci, où l'autorité royale est plus absolue. Je ne pense pas non plus qu'il fasse une faute bien grande de ne jeter point l'alarme de nuit dans sa ville, sur l'avis incertain qu'il a du dessein des Mores, puisqu'on faisait bonne garde sur les murs et sur le port ; mais il est inexcusable de n'y donner aucun ordre après leur arrivée et de laisser tout faire à Rodrigue. La loi du combat qu'il propose à Chimène, avant que de le permettre à Don Sanche contre Rodrigue, n'est pas si injuste que quelques-uns ont voulu le dire[1], parce qu'elle est plutôt une menace pour la faire dédire de la demande de ce combat qu'un arrêt qu'il lui veuille faire exécuter. Cela

1. Scudéry en particulier.

paraît en ce qu'après la victoire de Rodrigue il n'en exige pas précisément l'effet de sa parole et la laisse en état d'espérer que cette condition n'aura point de lieu.

Je ne puis dénier que la règle des vingt et quatre heures presse trop les incidents de cette pièce. La mort du Comte et l'arrivée des Mores s'y pouvaient entresuivre d'aussi près qu'elles font, parce que cette arrivée est une surprise qui n'a point de communication, ni de mesures à prendre avec le reste ; mais il n'en va pas ainsi du combat de Don Sanche, dont le Roi était le maître, et pouvait lui choisir un autre temps que deux heures après la fuite des Mores. Leur défaite avait assez fatigué Rodrigue toute la nuit pour mériter deux ou trois jours de repos, et même il y avait quelque apparence qu'il n'en était pas échappé sans blessures, quoique je n'en aie rien dit, parce qu'elles n'auraient fait que nuire à la conclusion de l'action.

Cette même règle presse aussi trop Chimène de demander justice au Roi la seconde fois. Elle l'avait fait le soir d'auparavant, et n'avait aucun sujet d'y retourner le lendemain matin pour en importuner le Roi, dont elle n'avait encore aucun lieu de se plaindre, puisqu'elle ne pouvait encore dire qu'il lui eût manqué de promesse. Le roman lui aurait donné sept ou huit jours de patience avant que de l'en presser de nouveau ; mais les vingt et quatre heures ne l'ont pas permis : c'est l'incommodité de la règle. Passons à celle de l'unité de lieu, qui ne m'a pas donné moins de gêne en cette pièce. Je l'ai placée dans Séville, bien que Don Fernand n'en ait jamais été le maître ;

et j'ai été obligé à cette falsification pour former quelque vraisemblance à la descente des Mores, dont l'armée ne pouvait venir si vite par terre que par eau. Je ne voudrais pas assurer toutefois que le flux de la mer monte effectivement jusque-là ; mais, comme dans notre Seine il fait encore plus de chemin qu'il ne lui en faut faire sur le Guadalquivir pour battre les murailles de cette ville, cela peut suffire à fonder quelque probabilité parmi nous, pour ceux qui n'ont point été sur le lieu même.

Cette arrivée des Mores ne laisse pas d'avoir ce défaut, que j'ai marqué ailleurs[1], qu'ils se présentent d'eux-mêmes sans être appelés dans la pièce, directement ni indirectement, par aucun acteur du premier acte. Ils ont plus de justesse dans l'irrégularité de l'auteur espagnol : Rodrigue, n'osant plus se montrer à la Cour, les va combattre sur la frontière ; et ainsi le premier acteur les va chercher et leur donne place dans le poème, au contraire de ce qui arrive ici, où ils semblent se venir faire de fête exprès pour en être battus, et lui donner moyen de rendre à son roi un service d'importance, qui lui fasse obtenir sa grâce. C'est une seconde incommodité de la règle dans cette tragédie.

Tout s'y passe donc dans Séville, et garde ainsi quelque espèce d'unité de lieu en général ; mais le lieu particulier change de scène en scène, et tantôt c'est le palais du Roi, tantôt l'appartement de l'Infante, tantôt la maison de Chimène, et tantôt une rue

1. Dans le *Discours du poème dramatique.*

ou place publique. On le détermine aisément pour les scènes détachées, mais pour celles qui ont leur liaison ensemble, comme les quatre dernières du premier acte, il est malaisé d'en choisir un qui convienne à toutes. Le Comte et Don Diègue se querellent au sortir du palais, cela se peut passer dans une rue ; mais, après le soufflet reçu, Don Diègue ne peut pas demeurer en cette rue à faire ses plaintes, attendant que son fils survienne, qu'il ne soit tout aussitôt environné de peuple, et ne reçoive l'offre de quelques amis. Ainsi il serait plus à propos qu'il se plaignît dans sa maison, où le met l'Espagnol, pour laisser aller ses sentiments en liberté ; mais en ce cas il faudrait délier les scènes comme il a fait. En l'état où elles sont ici, on peut dire qu'il faut quelquefois aider au théâtre et suppléer favorablement ce qui ne s'y peut représenter. Deux personnes s'y arrêtent pour parler, et quelquefois il faut présumer qu'ils marchent, ce qu'on ne peut exposer sensiblement à la vue, parce qu'ils échapperaient aux yeux avant que d'avoir pu dire ce qu'il est nécessaire qu'ils fassent savoir à l'auditeur. Ainsi, par une fiction de théâtre, on peut s'imaginer que Don Diègue et le Comte, sortant du palais du Roi, avancent toujours en se querellant, et sont arrivés devant la maison de ce premier lorsqu'il reçoit le soufflet qui l'oblige à y entrer pour y chercher du secours. Si cette fiction poétique ne vous satisfait point, laissons-le dans la place publique, et disons que le concours du peuple autour de lui après cette offense, et les offres de service que lui font les premiers amis qui s'y rencontrent, sont des circonstances que le roman ne doit pas oublier ; mais que ces menues actions ne servant de rien à la principale, il n'est pas besoin que le poète s'en embarrasse sur la scène. Horace l'en dispense par ces vers :

Hoc amet, hoc spernat promissi carminis auctor,
Pleraque negligat[1].

Et ailleurs :

Semper ad eventum festinet[2].

C'est ce qui m'a fait négliger, au troisième acte, de donner à Don Diègue, pour aide à chercher son fils, aucun des cinq cents amis qu'il avait chez lui. Il y a grande apparence que quelques-uns d'eux l'y accompagnaient, et même que quelques autres le cherchaient pour lui d'un autre côté ; mais ces accompagnements inutiles de personnes qui n'ont rien à dire, puisque celui qu'ils accompagnent a seul tout l'intérêt à l'action, ces sortes d'accompagnements, dis-je, ont toujours mauvaise grâce au théâtre, et d'autant plus que les comédiens n'emploient à ces personnages muets que leurs moucheurs de chandelles et leurs valets, qui ne savent quelle posture tenir.

1. « Que l'auteur d'un poème promis aime ceci, dédaigne cela, et néglige maints détails » (*Art poétique*, v. 44-45). Libre citation : Corneille intervertit les deux vers, et remplace « differat » par « negligat ».
2. « Qu'il se hâte toujours vers ce dénouement » (*ibid.* v. 148).

Les funérailles du Comte étaient encore une chose fort embarrassante, soit qu'elles se soient faites avant la fin de la pièce, soit que le corps ait demeuré en présence dans son hôtel, attendant qu'on y donnât ordre. Le moindre mot que j'en eusse laissé dire, pour en prendre soin, eût rompu toute la chaleur de l'attention, et rempli l'auditeur d'une fâcheuse idée. J'ai cru plus à propos de les dérober à son imagination par mon silence, aussi bien que le lieu précis de ces quatre scènes du premier acte dont je viens de parler ; et je m'assure que cet artifice m'a si bien réussi, que peu de personnes ont pris garde à l'un ni à l'autre, et que la plupart des spectateurs, laissant emporter leurs esprits à ce qu'ils ont vu et entendu de pathétique en ce poème, ne se sont point avisés de réfléchir sur ces deux considérations.

J'achève par une remarque sur ce que dit Horace que ce qu'on expose à la vue touche bien plus que ce qu'on n'apprend que par un récit[1].

C'est sur quoi je me suis fondé pour faire voir le soufflet que reçoit Don Diègue, et cacher aux yeux la mort du Comte, afin d'acquérir et conserver à mon premier acteur l'amitié des auditeurs, si nécessaire pour réussir au théâtre. L'indignité d'un affront fait à un vieillard, chargé d'années et de victoires, les jette aisément dans le parti de l'offensé et cette mort, qu'on vient dire au Roi tout simplement sans aucune narration touchante, n'excite point en eux la commi-

1. *Ibid.*, v. 180-181.

sération qu'y eût fait naître le spectacle de son sang, et ne leur donne aucune aversion pour ce malheureux amant, qu'ils ont vu forcé par ce qu'il devait à son honneur d'en venir à cette extrémité, malgré l'intérêt et la tendresse de son amour.

DOSSIER

CHRONOLOGIE

1606-1684

1606 *6 juin* : naissance à Rouen de Pierre Corneille, aîné de six enfants (dont Thomas, qui deviendra un des grands dramaturges du siècle, et Marthe, la future mère de Fontenelle). La famille est de bonne bourgeoisie provinciale : le père, Pierre, est maître des Eaux et Forêts, la mère, Marthe, fille d'un avocat rouennais.

1615-1622. Études au collège des jésuites de Rouen. Formation intellectuelle décisive (latin, rhétorique, poésie, théâtre). Corneille y subit une influence prépondérante de la part de certains de ses maîtres, notamment du père Claude Delidel, auprès de qui il trouve à la fois une formation du goût et une direction spirituelle.

1622-1629. Corneille passe sa licence en droit et devient avocat. En 1628, son père lui achète deux offices d'avocat du Roi aux Eaux et Forêts et à l'Amirauté de France. C'est dans ces années-là qu'il vit sa première aventure sentimentale avec la fille d'un maître des comptes de Rouen, Catherine Hue, qui lui inspire sa première comédie, *Mélite*.

1629 La troupe de Charles Lenoir, qui compte dans ses rangs le célèbre Mondory, passe par Rouen. Sans doute est-ce à cette occasion que Corneille lui confie la pièce qu'il vient d'écrire et que la troupe, venant s'installer à Paris, crée au jeu de paume de Berthault durant la saison 1629-1630. *Mélite*, après trois premières représentations médiocres, obtient un succès éclatant, qui favorise l'implantation parisienne de la troupe et attire aussitôt l'attention sur l'auteur.

1630-1631. *Clitandre*, tragi-comédie.

1631-1632. *La Veuve*, comédie.

1632-1633. *La Galerie du Palais*, comédie, puis *La Suivante*, comédie.

1633-1634. *La Place Royale*, comédie. La troupe de Lenoir, après être passée par plusieurs jeux de paume, s'installe dans celui du Marais, rue Vieille-du-Temple, qui devient son théâtre propre. Jusqu'en 1647, Corneille donne toutes ses pièces à cette troupe du Marais qu'il quittera pour l'Hôtel de Bourgogne afin d'y suivre Floridor, son interprète favori.

1634-1635. *Médée*, tragédie.

1635 Richelieu, grand amateur de théâtre, forme le groupe des Cinq : Corneille, Rotrou, L'Étoile, Boisrobert et Colletet. Sur un thème fourni par le Cardinal, les cinq auteurs donnent *La Comédie des Tuileries*.

1635-1636. *L'Illusion comique*, comédie. Vers cette date, Catherine Hue, le premier amour de Corneille, épouse Thomas Dupont, correcteur à la Chambre des Comptes. Le mariage a été imposé par la famille. La guerre contre l'Espagne aboutit à la prise de Corbie par les Espagnols, mais la ville est reprise par une contre-offensive française.

1637 *Début janvier* : *Le Cid*, tragi-comédie. Le succès est immédiat et triomphal.

8 janvier : *La Grande Pastorale*, par le groupe des Cinq, jouée à l'hôtel de Richelieu.

27 janvier : le père de Corneille reçoit ses lettres de noblesse.

22 février : représentation de *L'Aveugle de Smyrne*, tragi-comédie des Cinq, sur un nouvel argument fourni par le Cardinal. Corneille n'y a peut-être pas participé.

23 mars : publication du *Cid*. La dédicace est à Mme de Combalet, la nièce de Richelieu.

Mars-décembre : lancée par Mairet et Scudéry, la Querelle du *Cid* donne lieu à une multitude de publications et aboutit en décembre aux *Sentiments de l'Académie*, auxquels, sur la recommandation de Richelieu, Corneille ne répond pas.

1638 Naissance du futur Louis XIV.

1639 *12 février* : mort du père de Corneille. Celui-ci devient tuteur de ses frères et sœurs encore mineurs.

1640 *19 mai* : première publique d'*Horace*, tragédie. Corneille a soumis auparavant sa pièce à un comité de doctes et l'a fait représenter chez Richelieu.

1641 Corneille épouse Marie de Lampérière, fille du lieutenant particulier des Andelys, dont il aura sept enfants.

1642 *10 janvier* : baptême de Marie, premier enfant du couple.

Fin de l'été : *Cinna*, tragédie.

4 décembre : mort de Richelieu.

1642-1643. *Polyeucte martyr*, tragédie chrétienne.

1643 *14 mai* : mort de Louis XIII. Régence d'Anne d'Autriche, avec Mazarin Premier ministre.

7 septembre : baptême de Pierre, deuxième enfant de Corneille.

1643-1644. *La Mort de Pompée*, tragédie, et *Le Menteur*, comédie.

1644 Le théâtre du Marais brûle. Reconstruit et modernisé, il ouvre à nouveau ses portes en octobre. Première publication collective des *Œuvres* de Corneille (antérieures au *Cid*).

1644-1645. *La Suite du Menteur*, comédie, et *Rodogune, princesse des Parthes*, tragédie.

1645-1646. *Théodore, vierge et martyre*, tragédie chrétienne. Naissance du troisième enfant de Corneille, François.

1646-1647. *Héraclius*, tragédie.

1647 *22 janvier* : Corneille, après deux échecs, est élu à l'Académie française. Mazarin lui commande une tragédie à musique, *Andromède*.

1648 Début de la Fronde. Publication du deuxième tome des *Œuvres* (du *Cid* à *La Suite du Menteur*.)

1650 *Janvier* : *Andromède*, tragédie à machines, jouée dans la salle du Petit-Bourbon, et (peut-être dès fin 1648) *Don Sanche d'Aragon*, comédie héroïque, qui pâtit des circonstances (on est en pleine Fronde).
5 juillet : mariage de Thomas Corneille avec Marguerite de Lampérière, la sœur de Marie, l'épouse de Corneille. Naissance du quatrième enfant, Marguerite. Corneille devient procureur des États de Normandie et vend ses charges d'avocat du Roi.

1651 *Février* : *Nicomède*, tragédie. Corneille perd sa charge de procureur et se retrouve sans charges officielles.

1651-1652. *Pertharite*, tragédie. L'échec de la pièce pousse Corneille à renoncer au théâtre.

1652 (ou 1653). Naissance de son cinquième enfant, Charles. Corneille commence à traduire en vers *L'Imitation de Jésus-Christ*, dont les deux premiers livres paraissent en juin 1653, le troisième livre en 1654, et la traduction complète en mars 1656.

1655 Naissance de son sixième enfant, Madeleine.

1656 Naissance de son septième et dernier enfant, Thomas.

1659 *24 janvier* : *Œdipe*, tragédie, sur un sujet proposé par le surintendant Foucquet ; très gros succès.

1660 *31 octobre* : achevé d'imprimer du *Théâtre de Corneille revu et corrigé par l'auteur*, en 3 volumes. Chaque volume est précédé d'un discours (*Du poème dramatique, De la tragédie, Des trois unités*) et des *Examens* des pièces.

1661 *Février* : *La Toison d'or*, tragédie à machines. Immense succès.
9 mars : mort de Mazarin. Début du règne de Louis XIV. En septembre, arrestation de Foucquet.

1662 *25 février* : *Sertorius*, tragédie, représentée par la troupe du Marais, que Corneille avait quittée depuis 1647 mais à qui il avait confié en 1661 *La Toison d'or*.
Octobre : installation à Paris avec son frère Thomas.

1663 *Janvier* : *Sophonisbe*, tragédie. Querelle à propos de la pièce avec l'abbé d'Aubignac. Cette même année, les frères Corneille sont impliqués dans la querelle de *L'École des femmes* contre Molière qui a alors quarante et un ans. En juin, premières gratifications accordées par le roi aux gens de lettres : Corneille obtient 2 000 livres, qui lui seront versées annuellement jusqu'en 1674. Luxueuse édition de son *Théâtre* en deux volumes *in-folio*.

1664 *Othon*, tragédie. Première pièce de Racine âgé de vingt-cinq ans, *La Thébaïde*, peu remarquée, mais suivie en 1665 d'*Alexandre*, qui obtient un grand succès.

1666 *Février* : *Agésilas*, tragédie. Échec.

1667 *Attila*, tragédie, créée par la troupe de Molière. Dans la querelle sur la moralité du théâtre, Corneille prend position contre les jansénistes. Il célèbre désormais régulièrement en vers les victoires de Louis XIV.

1669 Dans la querelle du merveilleux chrétien ou païen, Corneille prend position pour les Anciens. Il publie sa traduction en vers et en prose de *L'Office de la Sainte Vierge*.

1670 *Novembre* : le 21, première de *Bérénice* de Racine à l'Hôtel de Bourgogne ; le 28, première de *Tite et Bérénice*, comédie héroïque, de Corneille, par la troupe de Molière. La pièce de Racine l'emporte assez vite dans la faveur du public.

1671 *Janvier* : première de *Psyché*, tragédie-ballet, pour laquelle Corneille a répondu à l'invitation de Molière qui, pris par le temps, lui a demandé de versifier une partie importante de la pièce.

1672 *Novembre* : *Pulchérie*, comédie héroïque.

1673 *17 février* : mort de Molière, qui va amener un regroupement des troupes théâtrales.

1674 *Septembre* : mort du deuxième fils de Corneille, tué en Hollande.
Novembre : *Suréna*, tragédie. C'est la dernière pièce de Corneille.

Entre 1675 et 1683, Corneille est radié de la liste des gratifications.

1682 Parution de la dernière édition de son *Théâtre* revue par ses soins, en 4 volumes.

1684 *1er octobre* : mort à Paris de Pierre Corneille.

1685 Thomas Corneille est élu à l'Académie au fauteuil de son frère. Il y est reçu par Racine, qui prononce un vibrant éloge de son rival.

NOTICE

La création de la pièce

On ignore la date exacte de la première représentation du *Cid*. En général, les premières avaient lieu le vendredi ce qui, par recoupement, permet de penser que la pièce fut créée le 2 ou le 9 janvier 1637. Chapelain, dans une lettre à Guez de Balzac du 22 janvier 1637, signale en effet : « Depuis quinze jours le public a été diverti du *Cid*. » Le succès fut immédiat, et si important que l'on dut mettre des chaises sur scène pour accueillir le public qui se pressait en foule. Pellisson se fait l'écho de cet extraordinaire engouement dans son *Histoire de l'Académie française*, publiée en 1653. « Il est malaisé, écrit-il, de s'imaginer avec quelle approbation cette pièce fut reçue de la Cour et du public. On ne pouvait se lasser de la voir, on n'entendait autre chose dans les compagnies, chacun en savait quelque partie par cœur, on la faisait apprendre aux enfants, et en plusieurs endroits de la France, il était passé en proverbe de dire : "Cela est beau comme *Le Cid*". » Ce succès, attesté de façon officielle par les cinq représentations données à la Cour dans les mois suivants, valut à Corneille la faveur royale, avec des lettres de noblesse accordées aussitôt à son père, dès le mois de janvier 1637, qui lui apportaient à lui-même un quartier de noblesse.

Sources

La création, pour originale qu'elle parût, s'appuyait sur un texte que bien vite les adversaires de Corneille mirent en avant pour accuser celui-ci d'une imitation un peu trop fidèle, voire de plagiat pur et simple. De fait, dans l'imitation que Corneille fait de la pièce de Guillén de Castro, à l'égard de qui il ne cachera jamais sa dette (il ira, en 1648, jusqu'à imprimer en bas de page les vers de Guillén de Castro qu'il imite, voir p. 175), ce qu'il importe de considérer d'abord, avant même la nature des emprunts qu'il opère, c'est le choix qu'il fait de s'arrêter à ce sujet et à cette pièce. Plutôt en effet que de faire appel à l'histoire, qui est la source habituelle de la tragédie, c'est vers un sujet mythique, où l'histoire se colore fortement de la légende, qu'il se tourne, privilégiant la dimension romanesque propre aux sujets de tragi-comédies. Rodrigo Diaz a, certes, existé : né vers 1043 à Bivar, au nord de Burgos, dans une famille noble, il fut élevé à la cour auprès du fils du roi Ferdinand Ier et des infantes ses sœurs. Armé chevalier par le roi Ferdinand lui-même au siège de Coïmbre, il accomplit, tout au long d'une carrière riche en rebondissements, une série d'exploits qui lui valurent ce surnom de « Cid » — seigneur — de la part de ses propres adversaires. Encore que les faits ne soient pas toujours avérés, on le trouve combattant le roi more Al-Muqtadir, puis s'alliant avec lui contre les prétentions de Ramiro Ier, roi d'Aragon. Puis, continuant à intervenir directement dans les nombreuses péripéties politiques et militaires qui scandent la présence arabe en Espagne, il entreprend en particulier de reprendre aux musulmans le royaume de Valence, réussit à investir la ville, et la ramène à l'Espagne. Ces exploits nourrissent aussitôt autour du personnage une légende qui, très vite, tend à brouiller la réalité même des faits. Ainsi son probable mariage avec Jimena Diaz, alors qu'il a déjà trente ans, se trouve-t-il enrichi d'un autre mariage, que rien n'atteste, avec une Jimena Gomez, épousée dans sa jeunesse sur ordre royal, après qu'il en aurait tué le père, un Grand d'Espagne

C'est en tout cas ce que véhiculent les textes épiques qui constituent la légende qui dès après sa mort, survenue en 1099, se forme. Dès 1140, un *Poème du Cid* a donné le départ à ces récits légendaires qui, sous forme la plupart du temps de romances, sont recueillis au début du XVIIe siècle dans un *Romancero general*, auquel Corneille, dans son *Avertissement* de 1648, emprunte deux romances qu'il cite (voir p. 175). Toutefois, cette légende s'est trouvée enrichie, en 1601, dans l'*Histoire d'Espagne* du jésuite Mariana, auquel Corneille fait également référence, par l'idée que cette Chimène aurait été « fort éprise des qualités » de celui qu'elle est amenée à épouser. Cette dimension proprement sentimentale et romanesque se trouve encore accentuée dans la pièce qui sert, de son propre aveu, de source principale à Corneille : *Las Mocedades del Cid — Les Enfances du Cid* — publiée en 1621 par Guillén de Castro.

L'attention de Corneille a pu être attirée sur ce texte par le goût qui se répand dans les années 1630 pour tout ce qui touche à l'Espagne, et que renforcent encore la déclaration de guerre de 1635 et les péripéties militaires, notamment la prise de Corbie, en 1636. Peut-être aussi la présence à Rouen d'une importante colonie espagnole et même un lointain lien de parenté avec Rodrigue de Chalon, secrétaire des commandements de la Reine mère, qui, retiré dans sa vieillesse à Rouen, lui aurait fait connaître ce texte non encore traduit en français, ont-ils pu jouer leur rôle. Mais, quel que soit l'élément ponctuel qui a pu déterminer Corneille, c'est bien la teneur de la pièce elle-même qui est la raison profonde de son choix. Celle-ci se présente comme un ample drame en trois journées, dont l'action s'étale sur trois années. La première journée raconte successivement l'adoubement de Rodrigue comme chevalier ; le choix de Don Diègue comme précepteur du prince et le soufflet que lui inflige le Comte ; l'épreuve que fait subir Don Diègue à ses trois fils pour déterminer le plus apte à le venger : il choisit Rodrigue, l'aîné, qui s'est rebellé quand il lui a mordu un doigt. Le jeune homme, qui aime en secret Chimène et qui en est aimé, laisse éclater sa douleur mais choisit de défendre l'honneur paternel. Bravant le Comte qui regrette son emportement mais refuse de reconnaître ses torts publiquement, Rodrigue le tue sur la place publique, sous les yeux de Chimène et de l'Infante, laquelle intervient pour séparer le combat qui s'ensuit entre Rodrigue et les amis du Comte. La deuxième journée voit Chimène réclamer justice auprès du roi ; Rodrigue, qui a entendu les plaintes de la jeune fille, se présente à elle et l'adjure de le tuer, ce qu'elle refuse de faire. Plus tard, Don Diègue retrouve Rodrigue et lui remet le commandement d'une troupe pour aller livrer bataille aux Mores. L'Infante encourage Rodrigue. Celui-ci, dans la montagne, remporte la victoire, que décrit un berger perché sur un arbre et spectateur du combat. À son retour au palais royal, où Don Diègue remplit difficilement sa tâche de précepteur auprès du prince, Rodrigue, dont le roi more qu'il a fait prisonnier raconte lui-même les exploits, se voit confirmé dans son titre de Cid que lui ont décerné ses adversaires vaincus. Chimène demandant justice, le Roi bannit le Cid en lui donnant l'accolade. La troisième journée s'ouvre avec l'Infante, qui avoue son amour pour Rodrigue, et avec Chimène, qui vient à nouveau demander réparation. Pour éprouver celle-ci, le Roi lui annonce la mort de Rodrigue, puis, devant sa réaction, la rassure. La jeune fille accepte le duel judiciaire, promettant sa main et ses biens à qui triomphera de Rodrigue. Celui-ci, sur la route de Saint-Jacques-de-Compostelle, porte assistance à un lépreux, qui, se transfigurant en saint Lazare, lui annonce ses futurs exploits. Rentré au palais, Rodrigue accepte de se mesurer au redoutable Aragonais Don Martin Gonzalez, afin à la fois de régler le différend qui existe entre la Castille et l'Aragon et d'obtenir, pour le vainqueur, la main de Chimène. Celle-ci, désespérée, apprend qu'un chevalier lui apporte la tête de Rodrigue. Elle laisse éclater son amour et demande de se retirer au couvent : mais c'est Rodrigue qui entre, apportant sa tête sur ses épaules, tandis qu'il a laissé à l'entrée celle de Don Martin Gonzalez, à la pointe de son épée. Chimène doit accepter la sanction du combat : le soir même, l'évêque de Palencia célèbre son mariage avec Rodrigue.

De la pièce de Guillén de Castro, Corneille garde la trame, mais il la resserre fortement. Du point de vue de la durée, d'abord, qu'il fait passer de trois ans à une journée, même s'il lui faut pour cela faire quelque peu se bousculer les événements. Pour rendre aussi vraisemblable qu'il se peut cette condensation extrême, il élague au maximum dans les développements multiples d'une action foisonnante, éliminant personnages épisodiques et péripéties secondaires. Ce qui lui permet aussi, tant bien que mal, de concentrer le lieu qui, chez le dramaturge espagnol, était totalement éclaté, passant du palais royal à la maison de Don Diègue, à celle de Chimène, à la campagne des alentours de Burgos, aux montagnes de la Sierra, à la route de Saint-Jacques-de-Compostelle, pour revenir au palais royal. En situant l'ation à Séville, Corneille propose un lieu général, à l'intérieur duquel ce qu'il appelle dans l'*Examen* « le lieu particulier » est susceptible de changer de scène en scène. Cette concentration, même si elle semble écorner quelque peu la vraisemblance et n'offrir de la règle des trois unités qu'une application approximative, constitue un travail d'adaptation important. Mais le nœud moral de l'action est quant à lui très fidèlement conservé. Même si le mariage de Rodrigue et de Chimène se trouve, lors du dénouement de 1637, différé pour répondre à la vraisemblance temporelle, ce qui fait le fond de la pièce de Guillén de Castro — l'amour préalable aux événements entre Rodrigue et Chimène — fournit à Corneille cette matière romanesque qui donne sa véritable couleur au drame. Le mariage du Cid, qui n'apparaît dans les chroniques qu'à partir du XIVe siècle, y était d'abord donné en effet comme une faveur demandée par la jeune fille pour se placer sous la protection de son vainqueur. Ce n'est que progressivement que ce mariage est interprété comme une sorte de compensation destinée à réparer le préjudice subi. Mais nulle trace de sentiment dans ce qui n'est encore qu'une transaction judiciaire. Avec le jésuite Mariana, reprenant peut-être certaine *comedia* du XVIe siècle, l'idée s'installe d'un amour naissant de la jeune fille pour son vainqueur. Mais, et c'est là la grande nouveauté (même si Guillén de Castro n'en est sans doute pas le créateur, l'ayant peut-être lui-même trouvée dans un poème épique publié à Anvers en 1568 par Diego Jimenez de Ayllon), l'idée que Chimène et Rodrigue s'aiment, et qu'ils s'aiment préalablement au duel entre leurs deux pères, modifie totalement la perspective. Le drame y prend une dimension sentimentale, qui apporte, par les ressources de la situation ainsi créée, une riche matière romanesque. Le choix de Corneille, s'arrêtant avec Guillén de Castro à la pièce qui offre ainsi le traitement le plus romanesque de la légende, traduit clairement son souci de privilégier ce qui est le propre de la tragi-comédie : le développement d'une intrigue sentimentale complexe. Même si, examinant en 1660 dans son *Discours de l'utilité et des parties du poème dramatique*, les conditions de la tragédie, il affirme que « le devoir de la naissance et le soin de l'honneur » occupent dans *Le Cid* la première place — ce qui répond selon lui à la dignité tragique —, il ne peut, alors même qu'il a travaillé par toutes ses retouches à infléchir sensiblement le sens de sa pièce, s'empêcher de reconnaître que celle-ci « est sans contredit la pièce la plus amoureuse » qu'il ait faite.

La Querelle du Cid

C'est bien d'ailleurs ce que ne tardent pas à lui reprocher ses adversaires. À peine quelques semaines après la première représentation, la pièce se retrouve en effet au centre d'une polémique qui déborde vite le seul cadre du théâtre pour devenir presque, avec l'intervention de Richelieu, une affaire d'État. De ce que l'on va appeler « la Querelle du *Cid* », les causes sont multiples. Corneille lui-même, par une certaine maladresse, n'y est pas totalement étranger. D'abord par le fait que, voulant retirer au plus vite son bénéfice du considérable succès public de sa pièce, il réclame, à ce que prétendent du moins ses adversaires, à la troupe du Marais un supplément financier puis, devant le mauvais accueil fait à sa demande, décide de publier aussitôt le texte, enlevant ainsi aux comédiens l'exclusivité dont ils bénéficiaient tant que la pièce n'était pas imprimée. L'hostilité qu'il s'attire ainsi des gens de théâtre se double de celle qu'il suscite auprès de ses confrères par la publication en février 1637 de son *Excuse à Ariste* où des vers comme

« J'arrache quelquefois trop d'applaudissements » — « Je satisfais ensemble et peuple et courtisans » — « Je ne dois qu'à moi seul toute ma renommée » ne sont certes pas faits pour lui attirer la sympathie de ses pairs. Même si l'on pense que ces vers furent écrits plusieurs années avant *Le Cid*, et sont donc étrangers au contexte immédiat, et si la tentative de Corneille de tirer son profit du succès de son œuvre s'inscrit dans le juste combat mené par les écrivains du siècle, dont le statut est pour le moins encore flottant, pour faire reconnaître leurs droits d'auteur, ces initiatives ne font qu'accroître la jalousie de dramaturges déjà piqués par l'accueil triomphal réservé à la pièce. Les premières attaques viennent ainsi de deux des principaux rivaux de Corneille sur la scène tragique : Mairet, qui publie fin mars sous l'anonyme un pamphlet virulent, *L'Auteur du vrai Cid espagnol à son traducteur français*, attaque violente qui affirme que Corneille ne doit sa renommée qu'au plagiat qu'il a fait sans le dire de l'œuvre espagnole et qui, lui retirant ainsi tout ce qui lui vaut son succès, le laisse « Corneille déplumée »... Mais l'assaut le plus rude est porté par Scudéry qui, début avril, publie également sous l'anonyme des *Observations sur Le Cid* qui constituent une critique en règle, et en forme, de la pièce. Dans un texte long, circonstancié, où il passe en revue le détail des scènes, des personnages, des vers même, Scudéry, outre l'accusation de plagiat, porte la critique sur le terrain des règles, qu'il accuse Corneille de violer constamment, et concentre en particulier ses attaques sur le personnage de Chimène, qu'il dénonce comme péchant à la fois contre la vraisemblance et contre la morale. Corneille réplique quelques semaines après par une *Lettre apologétique* où, en fait, il refuse de répondre aux reproches de son adversaire. Scudéry, peu satisfait du refus de Corneille de s'expliquer, sollicite en juin l'intervention de l'Académie, et Richelieu, qui voit là une circonstance idéale pour affirmer le rôle de la nouvelle assemblée, intervient auprès de Corneille pour qu'il accepte de se soumettre au jugement de celle-ci. Tandis donc que l'Académie se saisit pour examen de la pièce, un certain nombre d'autres textes, lettres, libelles, discours entretiennent la passion, jusqu'à ce que, sur intervention directe de Richelieu, le dernier mot soit laissé aux académiciens, qui font connaître en décembre, après également que le Cardinal leur a demandé plusieurs fois de réviser leur copie, leurs *Sentiments de l'Académie française sur la tragi-comédie du Cid*. Tout en reconnaissant la qualité et l'originalité de la pièce, ils insistent sur sa non-régularité, notamment en ce qui concerne la question de la vraisemblance. Bien que recevant l'appui du très écouté Guez de Balzac, Corneille est fort affecté par ce jugement officiel, qui, quoique mesuré, donne raison à Scudéry sur le point sensible des règles.

La conséquence immédiate de cette amertume est que pendant trois ans, il va abandonner la scène. Mais une autre conséquence, à plus long terme, est que désormais cette question des règles va constamment le poursuivre dans sa réflexion : c'est pour se disculper du reproche d'irrégularité qui est fait au *Cid* qu'il entreprend la révision de son texte ; c'est encore par rapport à cette question qu'il analyse chacune de ses pièces, dans l'*Examen* qu'il en fait en 1660 ; c'est toujours avec la même préoccupation qu'il écrit cette même année ses trois grands textes théoriques sur le théâtre, revenant en particulier, dans son *Discours du poème dramatique*, sur un des points forts qui l'a opposé à Scudéry et à l'Académie, celui de la vraisemblance, y développant l'idée que « c'est une maxime très fausse que le sujet d'une tragédie soit vraisemblable », l'approfondissant encore dans son *Discours de la tragédie*, et couronnant son analyse par un *Discours des trois unités* qui montre assez que les questions soulevées par la Querelle du *Cid* n'ont pas cessé depuis d'accompagner sa réflexion et sa pratique.

Il est donc clair que Corneille s'est beaucoup plus préoccupé des règles après *Le Cid* qu'avant. Ce n'est qu'après coup qu'il envisage vraiment sa pièce par rapport à cette question, ce qui est d'autant plus légitime qu'il s'agit d'une tragi-comédie, c'est-à-dire une forme dramatique traditionnellement ouverte aux irrégularités, et qu'en 1637 les règles sont encore loin d'avoir la force qu'elles vont acquérir dans les années qui suivent, et surtout pour la tragédie, du fait même de l'ampleur prise par la Querelle. Il est donc facile, et Corneille lui-même le fait dans l'*Examen* de la pièce en 1660, de relever tout ce qui dans le temps (tant de péripéties en vingt-quatre heures), dans le lieu (tant de lieux particuliers en un seul lieu général) et dans l'action (tant de péripéties dans un drame unique), échappe à la stricte orthodoxie régulière.

Une esthétique du dépassement

Mais si *Le Cid* n'a pas la régularité que les doctes auraient voulu y trouver, il a sa loi propre, qu'indique bien le titre de la pièce : *Le Cid*, c'est en quelque sorte l'ascension héroïque d'un homme confronté à des périls qui sont autant d'épreuves sur le chemin de son héroïsation. Par chacun des obstacles qui se dressent devant lui et qu'il surmonte, il s'élève chaque fois, entraînant dans ce mouvement, malgré leurs hésitations, leurs déchirements, les personnages qui l'entourent : l'Infante, qui renonce à son amour et fait don de celui qu'elle aime à sa rivale ; le Roi, qui d'une certaine façon trouve dans la victoire sur les Mores l'exploit éclatant qui rehausse et amplifie la soumission de celui qui l'a accompli à sa couronne ; Chimène, aussi, bien sûr, qui aime d'autant plus Rodrigue qu'il se révèle digne de l'idée élevée qu'elle s'en fait. Un mouvement général anime ainsi l'action, qui est celui d'une élévation morale. La vraie dignité tragique est là, dans cette façon de sublimer la lutte de l'homme face à ce qui le dépasse. Mais, en 1637, cette lutte suppose suffisamment de souffrance, de doute, de passion ; elle touche des êtres si jeunes, sur qui tombe si soudainement le poids de l'exigence, qu'elle passe par une dramaturgie forcément agitée, traversée de forces contradictoires, animée d'un bouillonnement intense. Et ce que les adversaires de Corneille, enfermés dans la défense stricte et rigoriste de principes qu'ils s'efforçaient de faire appliquer au plus près, n'ont pas vu, ou pas voulu voir, c'est que ce mouvement intense avait une direction, que cette agitation visait au bout du compte à une contrainte plus forte que toutes les règles extérieures : la contrainte intérieure. Le héros tragique est en train de naître, par un libre choix. Mais il garde en 1637 sa fougue et sa passion, ce qui le rend, au moment même où il réalise ce qu'il y a de plus qu'humain en l'homme, si proche de l'homme même. C'est dans cette tension que réside toute la force dramatique et morale de la pièce. Plus dure sera l'élévation : *Le Cid* ne dit pas autre chose.

LES MISES EN SCÈNE DU *CID*

Au XVIIe siècle

En janvier 1637, *Le Cid* fut créé par les comédiens de la troupe du Marais, réunis autour de leur directeur et acteur vedette : Mondory. Celui-ci interprétait le rôle de Rodrigue. Il le devait à son talent plus qu'à son âge, puisqu'il avait alors quarante-trois ans. Son jeu passionné, qui se caractérisait par une grande force vocale et une belle présence physique, était « plus propre à faire un héros qu'un amoureux » au dire de Tallemant des Réaux. Une bonne part du succès lui revint en tout cas, comme se hâtèrent de le souligner les ennemis de Corneille. Mais il ne tint pas longtemps le rôle car six mois plus tard, en août, il fut frappé, en jouant la *Mariane* de Tristan l'Hermite, d'une apoplexie qui le laissa paralysé. Des autres acteurs de la création, certains sont connus, sans que l'on sache grand-chose sur leur jeu proprement dit : la Villiers tenait le rôle de Chimène et Mlle de Beauchâteau celui de l'Infante. Les autres attributions sont moins sûres : sans doute Baron fut-il Don Diègue, et Bellemore, qui venait de créer Matamore dans *L'Illusion comique*, le Comte.

De cette première représentation, l'aspect le plus intéressant à connaître serait naturellement de savoir sur quelles options de mise en scène elle reposait. Les développements de la Querelle du *Cid* permettent de se faire une idée du décor : Scudéry fait en effet remarquer, dans ses *Observa-*

tions, qu'un « même lieu représent(e) l'appartement du Roi, celui de l'Infante, la maison de Chimène, et la rue, presque sans changer de face ». Ces divers « lieux particuliers », comme Corneille lui-même les appelle, apparaissaient probablement, selon le procédé en usage à l'époque, dans des compartiments masqués par des tapisseries, qu'on relevait lorsque l'action s'y déroulait, tandis que l'acteur jouait sur le devant de la scène qui représentait la partie commune. La remarque de Scudéry, disant que « le spectateur ne sait le plus souvent où sont les acteurs », tendrait à prouver que ces compartiments étaient mal isolés, mais témoigne aussi que la mise en scène s'efforçait de figurer les divers lieux nécessaires à l'action. Une autre indication du même Scudéry, parlant de l'arrivée de Rodrigue chez Chimène « avec une épée qui fume encore du sang tout chaud qu'il vient de faire répandre à son père », prouve également non seulement la présence d'une épée comme accessoire spectaculaire mais, insistant sur « cette extravagance si peu attendue », témoigne de l'effet de surprise que voulait produire la mise en scène, donnant ainsi à l'épée de Rodrigue une force toute symbolique.

Des mises en scène qui suivent au XVIIe siècle, on sait peu de choses, si ce n'est que la pièce est reprise par les deux autres grandes troupes concurrentes, celle de l'Hôtel de Bourgogne avant 1643, et celle de Molière à partir de 1659. Des interprètes du rôle-titre, on connaît avec certitude Beauchâteau, qui tint le rôle à l'Hôtel de Bourgogne dans les années 1660, et Baron le fils qui joua le rôle dans les années 1680, puis beaucoup plus tard, lorsqu'il revint à la scène qu'il avait quittée, dans les années 1720. Et du personnage de Chimène, la Champmeslé, habituée à l'univers racinien, donna dans les années 1660-1670 une interprétation attendrissante qui impressionna fort ses contemporains. Pour ce qui est de l'évolution du décor, une indication du régisseur Michel Laurent fait apparaître, en 1678, que « le théâtre est une chambre à quatre portes » qui devaient ouvrir sur chacun des « lieux particuliers » indiqués par Corneille, traduisant ainsi le passage du décor à compartiments et tapisseries au décor unique, « palais à volonté » ou lieu-carrefour.

Au XVIII*e siècle*

À partir de 1680, la fusion de la troupe de Molière et de celle du Marais entraîne la création de la Comédie-Française. De toutes les pièces de Corneille, *Le Cid* est d'assez loin celle qui va y être le plus souvent représentée. Le tableau global des représentations fait toutefois apparaître une courbe irrégulière :

de 1680 à 1720 : 249 représentations
de 1720 à 1800 : 240
de 1800 à 1920 : 541
de 1920 à 1970 : 537.

Sur ces 1 567 représentations (alors que les deux pièces qui suivent par leur fréquence, *Horace* et *Le Menteur*, n'en ont respectivement, pour la même période, que 863 et 835), on voit qu'après un engouement assez vif à la fin du XVIIe siècle et sous la Régence, la pièce subit un net recul durant tout le XVIIIe siècle, pour retrouver la faveur des metteurs en scène et du public au XIXe et au XXe siècle.

Au XVIIIe siècle, le goût pour un jeu plus naturel, moins déclamatoire, explique une certaine désaffection pour le théâtre de Corneille en général, jugé trop emphatique, dont pâtit évidemment *Le Cid*. Les grands interprètes du rôle de Rodrigue en infléchissent alors sensiblement l'interprétation : après le jeu frénétique de Beaubour, dans les années 1700-1710, la simplicité et la mesure apportées par Quinault-Dufrêne, vers 1720, traduisent une nette évolution. Mais le rôle n'inspire pas pour autant le plus grand comédien de l'époque, Lekain, qui le tient néanmoins de façon régulière, mais sans le marquer particulièrement. Chimène n'inspire pas davantage les grandes comédiennes que sont Adrienne Lecouvreur, la Clairon ou la Dumesnil. Et, loin des outrances vocales de la Duclos, au début du siècle, et du manque de naturel de la Gaussin, dans les années 1730, la seule Desgarçins marque véritablement le rôle à la fin du siècle par son interprétation émouvante, baignée de larmes, et animée d'une passion souffrante qui la porte vers le pathétique.

Par ailleurs, la pièce est très vite jouée avec de profondes modifications. Le rôle de l'Infante, en particulier, paraît superflu et l'habitude s'installe de le réduire, puis de le supprimer purement et simplement. Ce qui entraîne des aménagements pour permettre de nouvelles liaisons entre les scènes. Il n'est pas rare non plus que, pour frapper plus directement les spectateurs, toute l'exposition soit également coupée, et que la représentation commence par l'affrontement entre le Comte et Don Diègue. Ces transformations opérées sur le texte s'installent si bien que c'est cette version totalement remaniée que joue la Comédie-Française pendant tout le XVIIIe siècle, et même pendant une bonne partie du XIXe, puisque ce n'est qu'en 1842 que l'exposition est rétablie et en 1872 que la pièce est reprise dans son intégralité.

Au XIXe siècle

Le premier Empire voit un renouveau cornélien, dû pour une bonne part au goût de Napoléon lui-même. Toutefois, le rôle de Rodrigue n'inspire guère le grand Talma, peu sensible à ce qu'il juge un manque de profondeur secrète et tourmentée du personnage. C'est un acteur nettement plus médiocre, Lafon, qui, donnant à son interprétation un côté généreux et enthousiaste, se taille alors le plus grand succès dans le rôle. À partir de 1830 la pièce, bénéficiant d'une lecture romantique, trouve une plus large ampleur d'interprétation, sans que pour autant la réussite soit toujours au rendez-vous. Le jeu de Beauvallet-Rodrigue et de Rachel-Chimène, en 1842, met en avant à la fois l'idée que l'on se fait alors des personnages, mais aussi les limites de l'interprétation qu'on en donne. Beauvallet, acteur romantique qui ne craint aucune outrance dans le jeu ni aucun effet dans la voix, qu'il a grave, compose un Rodrigue agité, spectaculaire, passionné, donnant toute sa mesure dans les grandes scènes des stances et du récit de la bataille, déclamées avec une force vocale impressionnante. Face à lui, Rachel, qui a tenu à tenter l'expérience d'un rôle jugé traditionnellement médiocre par les comédiennes qui l'ont précédée, s'efforce de traduire chez Chimène la tendresse des sentiments plutôt que la volonté de vengeance. Sa grande sensibilité et sa finesse extrême mettent l'accent, loin de toute l'agitation habituelle qu'on prêtait au personnage, sur la dimension amoureuse du drame.

En 1856, dans une distribution qui ne convainc guère, avec Lafontaine et Mlle Judith dans les rôles de Rodrigue et de Chimène, un acteur qui débute dans le rôle donne du personnage de Don Diègue, qu'avait marqué avant lui au début du siècle le célèbre Joanny, une interprétation mémorable : Maubant, malgré son jeune âge, apporte au vieillard, par sa haute stature et la fermeté de sa diction, une dignité et une autorité morales, mais aussi, par une certaine cassure du corps et une démarche et des gestes lents et mesurés, le poids de l'âge et l'infériorité physique.

Mais c'est à la fin du siècle que l'on doit la véritable renaissance de la pièce, jouée enfin intégralement, grâce à l'interprétation proprement éblouissante de Mounet-Sully. Celui-ci, lorsqu'il joue pour la première fois *Le Cid* en 1872, assombrit volontairement son personnage, donnant un Rodrigue mélancolique, quasi désespéré, qui non seulement surprend, mais déçoit. Rectifiant aussitôt son interprétation, il nuance progressivement son analyse du personnage, en traduisant à la fois la jeunesse, l'élan, la grâce juvénile, mais aussi la volonté, la force, la grandeur héroïque. Et sa voix, jouant souvent de la demi-teinte, rompt avec la puissance déclamatoire qui était habituellement de mise. Cette interprétation, qui impressionne fortement les contemporains, marque durablement le rôle, d'autant que Mounet-Sully le joue de façon régulière jusqu'en 1893, puis de façon plus intermittente jusqu'en 1913. Des diverses comédiennes qui lui donnent la réplique, aucune ne s'impose vraiment face à un tel partenaire : seules, dans les interprétations tardives au début du XXe siècle, Segond-Weber et Madeleine Roch, donnant une Chimène violente et tragique, parviennent à tirer leur épingle du jeu face à un Mounet-Sully il est vrai vieillissant.

Au XXe siècle

L'empreinte de Mounet-Sully est telle que, après la guerre de 1914-1918, son interprétation continue d'inspirer les comédiens qui reprennent le rôle. Parmi eux, Albert Lambert apparaît même comme une sorte de réplique du maître, jouant avec une grande force tragique mais en s'efforçant de garder au personnage une mesure harmonieuse. C'est curieusement sa partenaire, Mlle Ventura qui, en 1931, crée la surprise en proposant une Chimène en totale rupture avec cette tonalité contrôlée. Elle compose en effet un personnage convulsif, agité, aux gestes tendus, à la voix hachée et frémissante. Le rôle se trouve en quelque sorte renouvelé par cette interprétation, et dès lors, Chimène apparaît comme un personnage plein de vie et d'humanité, que ses interprètes vont s'efforcer d'arracher aux conventions de l'académisme tragique où on l'avait si longtemps confinée.

En 1936, la reprise de la pièce au Vieux-Colombier consacre le souci d'un retour au naturel : Henri Rollan, qui interprète Rodrigue, offre un jeu sobre et une diction sans effets, tandis que Rachel Berendt, en Chimène, montre à la fois le côté douloureux et tendre du personnage et la force véhémente qui l'anime. La même humanité inspire la composition d'Alcover, qui donne l'image d'un Don Diègue familier et bonhomme.

Avec les années 50 s'ouvre le temps des metteurs en scène. Non que jusque-là ceux-ci n'aient eu leur rôle, mais celui-ci est resté essentiellement au service des acteurs qui imposent leur vision de la pièce à travers l'interprétation qu'ils en donnent. Dès 1949, à la Comédie-Française, le choix de Julien Bertheau de faire appel à deux jeunes pensionnaires pour interpréter le couple central témoigne d'une volonté de rompre avec les habitudes et, refusant les distributions qui faisaient trop souvent appel à des comédiens confirmés et n'ayant pas l'âge du rôle, fait confiance à des interprètes dont la jeunesse correspond à celle de leurs personnages. Le Rodrigue d'André Falcon, tout de fraîcheur, d'enthousiasme, de candeur presque, répond parfaitement à l'option du metteur en scène, si la Chimène de Thérèse Marney semble pour sa part un peu trop inexpérimentée et moins convaincante. Jean Yonnel qui interprète Don Diègue donne quant à lui du personnage une interprétation douloureuse qui en accentue l'humanité.

Mais un homme va faire alors fortement évoluer le rôle du metteur en scène : Jean Vilar, qui dirige le Théâtre National Populaire. Non qu'il dénie leur importance aux comédiens. Au contraire, formant autour de lui une troupe très soudée, il cherche à insuffler à tous ses acteurs un esprit inspiré de sa propre conception d'un théâtre qu'il veut véritablement populaire, c'est-à-dire apportant à tous, quelles que soient les appartenances sociales, non seulement la connaissance des grandes œuvres mais aussi une véritable source d'énergie et une lumière pour l'intelligence. L'œuvre de Corneille répond particulièrement à ces critères. Et, dans cette œuvre, plus que tout, *Le Cid*, qui offre cette loi première, selon Vilar, du grand poème dramatique : « parler à tous ». Aussi n'est-il pas étonnant de constater que, de toutes les pièces jouées au T.N.P., c'est *Le Cid* qui, avec 195 représentations, vient en tête. Et l'idée que Vilar se fait d'un metteur en scène médiateur du texte, utilisant la scène comme lieu d'éducation et de culture pour le public, explique ses choix lorsqu'il monte la pièce. En 1949, dans le cadre prestigieux de la Cour d'honneur du Palais des Papes d'Avignon, sa première mise en scène apparaît classique, mais rehaussée par la fraîcheur des costumes, le naturel des comédiens, et surtout l'interprétation marquante d'Henri Rollan en Don Diègue, et de Vilar lui-même qui, dans le rôle du Roi, souligne l'humanité d'un personnage jusqu'à lui assez négligé. Mais c'est lors de la reprise en Avignon en 1951 que le metteur en scène donne toute sa mesure, en confiant le rôle de Rodrigue à Gérard Philipe. De cette interprétation qui, à l'égal de celle de Mounet-Sully, a marqué le rôle et suscité un enthousiasme tel que, pour beaucoup, l'identification de l'acteur et du personnage y est arrivée à un total degré de perfection et même de magie, on peut relever les traits dominants : d'abord, le physique de l'acteur, fin, élancé, jeune (il a près de trente ans, mais paraît plus proche de vingt) et d'une beauté rayonnante ; le fait aussi qu'il bénéficie d'une sorte d'*aura* que lui ont apportée ses rôles précédents, au théâtre et au cinéma : Caligula dans la pièce de Camus, François du *Diable au corps*, le prince Muichkine de *L'Idiot*, Fabrice dans *La Chartreuse de Parme*. Ce Cid arrive ainsi chargé de romantisme, de passion, de flamme. Son costume — ample manteau rouge sur une cuirasse noir et or, large col blanc ouvert, écharpe bleue qui vole, hautes bottes de cuir noir qui lui montent au-dessus du genou ; sa chevelure qui ondule dans le vent de la Cour d'honneur ; et par-dessus tout sans doute une voix vibrante, très éloignée des grands effets vocaux, mais bondissante, juvénile, prenant progressivement de l'assurance et de la fermeté : Gérard Philipe impose pour longtemps une image du Cid. Son interprétation fait apparaître un Cid en train de naître : le jeune amoureux insouciant, désinvolte, devient héros, presque par nécessité, par circonstance, puis par courage, par choix librement consenti. Un prince, en quelque sorte, qui d'ailleurs restera, dans le souvenir, comme le double héros romantique du *Cid* et du *Prince de Hombourg*. Le succès qu'il remporte est tel qu'il va jouer le rôle sans discontinuer pendant trois ans, alors qu'autour de lui la distribution change. Si la Chimène émouvante de Françoise Spira est un peu éclipsée par le triomphe de son partenaire, les interprétations de Jeanne Moreau puis de Monique Chaumette redonnent toute son importance au rôle très négligé, quand il n'est pas supprimé, de l'Infante ; et Sylvia Montfort, lors d'une reprise en 1954 au Festival Corneille de Rouen, impose une Chimène ardente, d'une grande pureté tragique.

Les mises en scène de Vilar au T.N.P. ramènent l'attention sur la pièce, et nombreux sont les metteurs en scène qui dans les années suivantes vont en proposer une vision nouvelle et originale. Si la mise en scène de Jean Yonnel, à la Comédie-Française en 1955, dans un décor et des costumes de Georges Wakhévitch, reste assez traditionnelle et offre surtout l'occasion de retrouver André Falcon dans le rôle du Cid, en 1963 trois mises en scène proposent pratiquement en même temps trois interprétations différentes de la pièce. Au Théâtre de l'Île-de-France, Gilbert Guiraud présente, avec Michel Paulin et Myriam Desormes dans les rôles de Rodrigue et de Chimène, une mise en scène assez audacieuse, qui joue sur le décor de Roger Dornes. Celui-ci, par un unique changement à vue qui s'opère au milieu de la pièce, transforme en quelque sorte les cinq actes en deux. Par comparaison, la mise en scène de Marcelle Tassencourt, au Théâtre Sarah-Bernhardt puis à l'Odéon, apparaît beaucoup plus académique, faisant ostensiblement le choix de la plus pure tradition classique, sans recherches inutiles, et offrant, avec l'interprétation de Pierre Trabard et de Catherine Sellers (remplacés les années suivantes par Robert Etcheverry et Michel Ruhl, ainsi que par Marianne Comtell, Régine Blaëss et Tania Torrens), un spectacle à la fois sobre et vivant. Plus novatrice apparaît la mise en scène de Paul-Émile Deiber à la Comédie-Française. Dans des décors stylisés sur fond noir et des costumes moyenâgeux aux couleurs vives d'André Delfau, et sur une musique de Marcel Landowski, le metteur en scène choisit de replacer la pièce dans son contexte espagnol et médiéval. Cette option apparaît assez contestable à la majorité de la critique, d'autant que les interprétations de Paul-Émile Deiber lui-même, dans le rôle du Roi, de Geneviève Casile dans celui de l'Infante, et de Jacques Destoop dans celui de Rodrigue, sont jugées sans grand relief. Seule Claude Winter, en Chimène, tire son épingle du jeu. Mais, lorsque le spectacle est repris, en 1967, à Londres, la critique anglaise, sensible à un certain côté shakespearien de la mise en scène, lui fait un accueil nettement plus chaleureux.

Une autre voie est ouverte par deux mises en scène dont l'audace même suscite l'intérêt : celle de Maurice Sévenant (avec Luc Ponnette et Monique Verley) au Théâtre 14 en 1965, et celle de Roger Planchon, à Villeurbanne en 1969. Toutes deux font glisser *Le Cid* vers le comique, Maurice Sévenant modernisant radicalement la pièce — intitulée d'ailleurs *Le Cid 65* — tandis que Roger Planchon appuie volontairement sur la dérision.

Les mises en scène les plus récentes, dans leur volonté

affichée de «relire» la pièce, prennent souvent quelques libertés avec le texte lui-même. En 1973, au Théâtre de la Ville, Denis Llorca ajoute des personnages, notamment un commentateur espagnol qui, dans sa langue d'origine, lit des extraits de la pièce de Guillén de Castro dont s'est inspiré Corneille. Il fait également évoluer sur scène, autour de Rodrigue (interprété par José-Maria Flotats), toute une troupe de cascadeurs, représentant les soldats et compagnons du héros engagés dans la bataille. *Le Cid* se trouve ainsi assimilé à une sorte de western, d'autant que les costumes — casques à pointe, nattes gauloises, bandeaux sioux et mèches à la mode samouraï — renforcent le côté «film d'action» voulu par le metteur en scène. La même volonté d'insister sur le côté spectaculaire de la pièce guide la mise en scène de Terry Hands, en 1977 à la Comédie-Française. Avec une distribution éclatante (François Beaulieu et Francis Huster en Rodrigue, Ludmila Mikaël et Béatrice Agenin en Chimène, Michel Etcheverry en Don Diègue), le metteur en scène habille ses personnages de costumes médiévaux japonais, conçus par Abdelkader Farrah, inonde la scène de jeux de lumière, et pousse l'interprétation vers l'outrance : cris, agitation désordonnée, attitudes extrêmes. Présentée sur une scène chargée de toute la tradition du répertoire, cette option de mise en scène, considérée comme provocante voire iconoclaste, ne recueille guère l'approbation de la critique. En 1985, au Théâtre du Rond-Point, Francis Huster reprend le rôle de Rodrigue, cette fois-ci dans sa propre mise en scène. Lui aussi rajoute un certain nombre d'éléments au texte : il fait intervenir Corneille lui-même, lisant l'*Examen* de sa pièce, invente une bâtarde, une demoiselle de cour, un bouffon, une favorite royale. L'interprétation tend à rendre toute la diversité de personnages déchirés : Rodrigue est fougueux, à la fois déterminé et fragile ; Chimène (Jany Gastaldi) est pitoyable et violente ; le Roi (Jean-Louis Barrault) retors et bonhomme ; Don Diègue (Jean Marais) paternel et intraitable ; l'Infante (Martine Chevalier) pathétique et noble. La mise en scène vise à redonner à la pièce ce qui est, pour Francis Huster, son élément premier : la jeunesse. «Donnons-lui un baiser qu'elle n'oubliera pas, dit-il, un baiser qui mord. La morsure de la jeunesse ! » Et le metteur en scène insiste sur la liberté créatrice de Corneille, sur la diversité d'action et de lieu de la pièce, sur son aspect de tragi-comédie, ici rapproché à la fois du théâtre shakespearien et du drame romantique.

Le même souci de traduire ce qui fait l'originalité foisonnante de la pièce anime la mise en scène de Gérard Desarthe, en 1988, à la Maison de la Culture de Bobigny. Les options choisies par le metteur en scène doivent, sans doute, d'une certaine façon, au fait qu'il sort alors d'un spectacle qui a beaucoup marqué la dramaturgie cornélienne contemporaine : *L'Illusion*, montée sous ce titre par Giorgio Strehler au Théâtre de l'Europe en 1984, et où Gérard Desarthe interprétait le double rôle d'Alcandre et de Matamore. La vision très baroque de Strehler, le mélange de *commedia dell'arte* et de noirceur tragique, la force d'un décor et d'un éclairage qui plongent la salle elle-même dans le mystère de la grotte, où naît l'illusion théâtrale, inspirent visiblement Gérard Desarthe lorsqu'il aborde à son tour la mise en scène, avec *Le Cid*. Ce qu'il cherche à traduire, c'est à la fois une atmosphère et un drame (il est, au même moment, en train de répéter le rôle d'Hamlet, qu'il va créer en Avignon, sous la direction de Patrice Chéreau). Pour cela, il cherche l'équivalent, pour les spectateurs de la fin du XXe siècle, de ce que pouvait être le monde féodal de l'Espagne médiévale pour ceux du XVIIe. Il choisit ainsi la Vienne austro-hongroise de la fin du siècle dernier, pour retrouver, dit-il, « des images de dureté, de brutalité, d'élégance, de désinvolture comme celles de *Senso*, de Visconti ou de *Redl*... Une période où les empires existent encore, où il y a encore des petits rois, des infantes, où les duels se pratiquent couramment ». Dans ce décor, la pièce retrouve la force d'un rituel qui enserre progressivement la jeunesse de Rodrigue (Samuel Labarthe), de l'Infante (Gabrielle Forest), de Chimène (Carole Richert) surtout, dont la scène avec le Roi, qui lui fait croire à la mort de Rodrigue, est traitée comme une bouffonnerie de théâtre, sur une estrade qui renforce l'illusion scénique. La jeunesse et la sensibilité des interprètes, la variété des effets sonores et d'éclairage, et par-dessus tout l'adoption du texte de 1637, qui restitue au texte son ouverture originale, donnent à la pièce cette « morsure de la jeunesse » à laquelle, de tous les grands chefs-d'œuvre du répertoire, *Le Cid* est sans aucun doute, par la propre jeunesse qui l'anime, le mieux à même de répondre, présageant en cela bien d'autres mises en scène à venir.

Les plus récentes interprétations montrent, à cet égard, que la pièce n'en finit pas de solliciter l'attention et l'invention des plus novateurs des gens de théâtre. Ainsi, le choix de Francis Huster, lorsqu'il reprend en 1993 la pièce au Théâtre Marigny avec la compagnie qu'il a formée, se porte-t-il sur le texte de 1637, dont la jeunesse même de la troupe (où, à côté du comédien-metteur en scène lui-même, on retrouve ses fidèles, Cristiana Reali et Jacques Spiesser, associés à de tout jeunes comédiens) met en valeur le côté fougueux et passionné. Et la même fougue préside à l'interprétation exubérante que Thomas Le Douarec donne de la pièce en 1998, au Théâtre de la Madeleine, en en proposant une version gitane, avec chanteurs, danseurs et rythmes tsiganes, dans une profusion de couleurs et de sons. Moins apparemment ébouriffée mais plus radicalement subversive apparaît la mise en scène que l'Anglais Declan Donnellan, familier du théâtre shakespearien, présente au festival d'Avignon la même année. Montant la pièce en français, après l'avoir créée à Londres en anglais douze ans plus tôt, il habille ses personnages d'uniformes kaki, donne des intrigues de cour une vision ressemblant quasiment à une vie de caserne, et fait de Rodrigue — William Nadylam, jeune acteur noir — un garçon plutôt faible, ballotté par des enjeux qui le dépassent et travaillé par la peur et le dégoût, tandis que la beauté blonde d'une Chimène en tailleur sexy — Sarah Karbasnikoff — impose vite le personnage, tout de vivacité, de force, de caprice et de séduction, comme le cœur et l'illustration d'une mise en scène explorant à fond, et avec audace, les ressources de la tragi-comédie originelle.

Le Cid, *suites...*

Le succès de la pièce, lors de sa création, fut tel que, aussitôt, s'empressant de profiter de l'engouement du public, plusieurs concurrents de Corneille proposèrent une suite aux exploits et aux amours de son héros. Dès la saison suivante, 1638-1639, trois continuateurs se disputent le devenir de Rodrigue et de Chimène : Urbain Chevreau fait représenter *La Suite et le mariage du Cid*, tandis que Nicolas Desfontaines lui réplique par *La Vraie Suite du Cid* et que Thimothée de Chillac, poussant les choses à leur terme, publie *L'Ombre du Comte de Gormas et la Mort du Cid.* Autre indice du retentissement de la pièce de Corneille, c'est elle, et non pas l'original de Guillén de Castro, qu'adapte en espagnol Juan Bautista Diamante, avec son *El honrador de su padre*, en 1659. Au XVIIIe siècle, l'engouement des continuateurs et des adaptateurs ne se dément pas, mais les versions qu'ils proposent sont la plupart du temps des remaniements du texte de Corneille : ainsi en va-t-il du *Cid* restitué par Jean-Baptiste Rousseau, en 1733, qui supprime purement et simplement le personnage de l'Infante, ou de l'adaptation, elle aussi très libre, de François Tronchin en 1780. Au XIXe siècle, plusieurs suites continuent à voir le jour : en 1825, Pierre Lebrun donne *Le Cid d'Andalousie* ; en 1840 c'est Casimir Delavigne qui imagine une *Fille du Cid*, et en 1864 Gabriel Hugelmann qui publie un *Nouveau Cid.* Et les suites se suivent... En 1921, Maurice Morel propose encore *L'Enfant du Cid.* Toutefois, face à l'institution qu'est devenue la pièce, d'autres auteurs, moins respectueux, empruntent la voie du pastiche ou de la parodie : Georges Fourest, dans la veine fantaisiste, donne le ton en 1909 avec son sonnet de *La Négresse blonde*, dont les deux derniers vers disent, à leur manière, le dilemme sentimental de l'héroïne : « "Dieu !" soupire à part soi la plaintive Chimène, / "Qu'il est joli garçon l'assassin de Papa !" » Et *Le Cid* voit aussi des versions argotiques, et même une version pied-noir...

Le côté spectaculaire du drame et sa dimension lyrique

attirent aussi très tôt l'attention des compositeurs d'opéra. La pièce de Corneille, dès la fin du XVIIe siècle, inspire ainsi en 1697 l'*Amor e dover* de Carlo Francesco Pollarolo. Au XVIIIe siècle, une bonne dizaine d'opéras reprennent le thème, parmi lesquels ceux de Haendel en 1708, de Stück en 1715, de Leo en 1736, de Piccini en 1765, et surtout de Sacchini, lequel, sous le titre *Chimène ou le Cid*, est donné en France en 1783 sur un livret de Guillard. La même année est publié un *Chimène et Rodrigue, ou le Cid* de Rochefort, mais qui n'est pas représenté. Mais c'est au XIXe siècle que l'œuvre suscite les plus belles réussites en la matière, avec les opéras d'Orlandi en 1814, de Sapienza en 1823, d'Aiblinger en 1824, de Luigi Savi en 1834, de Neeb en 1857 et surtout de Massenet, en 1885, dont *Le Cid*, sur un livret d'Adolphe d'Ennery, Louis Gallet et Édouard Blau, représente la plus belle traduction lyrique qui ait jamais été donnée de la pièce. Quant à Bizet, il avait entrepris en 1865 un *Don Rodrigue*, mais n'en composa que la partition pour piano. Et de même Debussy n'acheva-t-il pas en 1892 son *Rodrigue et Chimène*, qui aura dû attendre un siècle sa création scénique, en mai 1993, à l'Opéra de Lyon.

Le XXe siècle a, pour sa part, donné un autre prolongement au thème à travers le cinéma. Quoique n'ayant que peu à voir avec la pièce même de Corneille, *Le Cid* d'Anthony Mann, en 1961, montre, par toute la panoplie du spectacu laire qu'il déploie, par le jeu flamboyant et contrasté des couleurs, par l'entrelacement de la passion amoureuse et des jeux subtils et compliqués du pouvoir, cette dimension shakespearienne sous-jacente dans la tragi-comédie cornélienne. Même si Charlton Heston et Sophia Loren offrent du couple central une image plus proche d'Hollywood et de Cinecittà que de la modeste scène du jeu de paume du Marais où, au début de janvier 1637, commença l'aventure…

BIBLIOGRAPHIE

1. *Éditions*

Pour l'ensemble de l'œuvre de Corneille, on se reportera aux éditions de :

Marty-Laveaux : Corneille, *Œuvres complètes*, Hachette, coll. des Grands Écrivains de la France, 1862-1868, 12 vol.

Georges Couton : Corneille, *Œuvres complètes*, Gallimard, Bibliothèque de la Pléiade, 1980-1987, 3 vol. (Georges Couton adopte, pour *Le Cid*, le texte de l'édition originale de 1637.)

L'édition critique la plus complète du *Cid* a été fournie par Milorad R. Margitić : *Corneille, Le Cid* : *tragi-comédie*, Amsterdam, Philadelphia, John Benjamins Publishing Company, 1989.

2. *Études générales sur le théâtre au XVIIe siècle*

Antoine Adam, *Histoire de la littérature française au XVIIe siècle*, Domat, 1948-1956, 5 vol.

Sophie Wilma Deierkauf-Holsboer, *L'Histoire de la mise en scène dans le théâtre français à Paris de 1600 à 1673*, Nizet, 1960.

Roger Guichemerre, *La Tragi-comédie*, P.U.F., 1981.
Jacques Morel, *La Tragédie*, A. Colin, 1964.
Jacques Scherer, *La Dramaturgie classique en France*, Nizet, 1959.
Jacques Truchet, *La Tragédie classique en France*, P.U.F., 1975.

3. *Études générales sur le théâtre de Corneille*

Actes du Colloque de Rouen (octobre 1984), éd. Alain Niderst, P.U.F., 1985.
Paul Bénichou, *Morales du Grand Siècle*, Gallimard, 1948.
Georges Couton, *Corneille et la tragédie politique*, P.U.F., 1984.
Maurice Descotes, *Les Grands Rôles du théâtre de Corneille*, P.U.F., 1962.
Bernard Dort, *Corneille dramaturge*, L'Arche, 1957.
Serge Doubrovsky, *Corneille et la dialectique du héros*, Gallimard, 1963.
Georges Forestier, *Essai de génétique théâtrale. Corneille à l'œuvre*, Klincksieck, 1996.
— *Corneille. Le sens d'une dramaturgie*, Sedes, 1998.
Marc Fumaroli, *Héros et orateurs. Rhétorique et dramaturgie cornéliennes*, Genève, Droz, 1990.
Louis Herland, *Corneille par lui-même*, Le Seuil, 1954.
Jean-Claude Joye, *Amour, pouvoir et transcendance chez Pierre Corneille*, Berne, Peter Lang, 1986.
Jacques Maurens, *La Tragédie sans tragique. Le néo-stoïcisme dans l'œuvre de P. Corneille*, A. Colin, 1966.
Georges Mongrédien, *Recueil des textes et documents du XVIIe siècle relatifs à Corneille*, C.N.R.S., 1972.
Octave Nadal, *Le Sentiment de l'amour dans l'œuvre de P. Corneille*, Gallimard, 1948.
Michel Prigent, *Le Héros et l'État dans la tragédie de Corneille*, P.U.F., 1986.
Jacques Scherer, *Le Théâtre de Corneille*, Nizet, 1984.

André Stegmann, *L'Héroïsme cornélien. Genèse et signification*, A. Colin, 1968.
Marie-Odile Sweetser, *La Dramaturgie de Corneille*, Genève, Droz, 1977.
Han Verhoeff, *Les Grandes Tragédies de Corneille. Une psycho-lecture*, Minard, 1982.

4. *Études portant sur* Le Cid

Ouvrages :

Georges Couton, *Réalisme de Corneille*, Les Belles Lettres, 1953.
Georges Forestier, *Le Cid de Pierre Corneille*, Nathan, 1991.
Armand Gasté, *La Querelle du Cid*, 1898, Rééd. Genève, Slatkine Reprints, 1970.
Milorad R. Margitić, *Essai sur la mythologie du Cid*, University of Mississippi, Romance Monographs, 1976.
Bernard Quemada, *P. Corneille, Le Cid : Concordances, index et relevés stylistiques*, Larousse, 1966.
Gustave Reynier, *Le Cid de Corneille : Étude et analyse*, La Pensée moderne, 1929.

Articles :

Ralph Albanese Jr., « Logos et praxis dans *Le Cid* », *XVIIe siècle*, nº 180, 1993.
Jacques Barchillon, « *Le Cid*, une interprétation psychanalytique », *Studi francesi*, 19, 1975.
Paul Bénichou, « Le Mariage du Cid », in *L'Écrivain et ses travaux*, J. Corti, 1967.
Madeleine Bertaud, « Rodrigue et Chimène, la formation d'un couple héroïque », *Papers on French Seventeenth Century Literature*, nº 21, 1984.
Peter Bürger, « *Le Cid* de Corneille et le matériau de la tragi-comédie », *Papers on French...*, nº 21, 1984.
Patrick Dandrey, « Le sang de Don Gormas et les yeux

d'Hippolyte. Dramaturgie et imaginaire médical au XVIIe siècle », *XVIIe siècle*, nº 182, 1994.

Simone Dosmond, « La Dialectique du "tu" et du "vous" dans *Le Cid* », *L'Information littéraire*, sept-oct. 1988.

Serge Doubrovsky, « Corneille : Masculin/Féminin ». Réflexions sur la structure tragique, *Actes de Tucson*, Biblio 17, nº 21, 1984.

Jean Garagnon, « Corneille et la naissance du héros : une relecture des Stances de Rodrigue », *Studi francesi*, 84, 1984.

Cynthia B. Kerr, « *Le Cid* de face et de profil : le jeu théâtral au service du texte », *Revue d'histoire du théâtre*, 2, 1987.

François Lesure, « Massenet, Debussy et la compétition des *Cid* », *L'Avant-scène Opéra*, nº 161, 1994.

Milorad R. Margitić, « Les Deux *Cid* : de la tragi-comédie baroque à la pseudo-tragédie classique », *Papers on French...*, nº 21, 1984.

Georges Molinié, « *Le Cid* baroque », *L'Information grammaticale*, nº 39, 1988.

Patrice Pavis, « Dire et faire au théâtre : l'action parlée dans les stances du *Cid* », *Études littéraires*, nº 3, 1980.

René Pintard, « De la tragi-comédie à la tragédie : l'exemple du *Cid* », in *Mélanges J. A. Vier*, Klincksieck, 1973.

Arnaldo Pizzorusso, « Il *Cid* e i principi dell'arte », *Belfagor*, 31, 1988.

— « Il *Cid* e i diritti della lettura », *Convegno di studi su P. Corneille nel 3º centenario della morte*, Vicenza, Accademia Olimpica, 1988.

Jacques Scherer, « Sur *Le Cid* », in *Il Teatro al tempo di Luigi XIII*, Paris/Bari, Nizet/Adriatica, 1974.

Philippe Sellier, « *Le Cid* et le modèle héroïque de l'imagination », *Stanford French Review*, nº 11, 1981.

Jean Serroy, « *Le Cid*, comi-tragédie », in *Dalla tragedia rinascimentale alla tragicommedia barocca*, éd. Elio Mosele, Fasano, Schena Editore, 1993.

Suzanne C. Toczyski, « Chimène, or the scandal of the feminine word », *Papers on French...*, nº 43, 1995.

Michael Vincent, «Naming the Cid», *Actes de Tucson*, Biblio 17, n° 21, 1984.

Pierre Voltz, «*Le Cid* et la notion d'action», *Littératures classiques*, n° 11 supplément, 1989.

Jean-Claude Yon, «Les avatars du *Cid*» *L'Avant-scène Opéra*, n° 161, 1994.

LEXIQUE

A

Aise : contentement.

Amant : amoureux, qui aime et qui est aimé (par opposition à « amoureux » : qui aime sans être aimé).

Amitié : amour, affection, inclination.

Aveu : autorisation, permission.

B

Balancer : hésiter entre deux voies.

C

Cabinet : pièce retirée, pour le travail ou la conversation privée.

Charme : force magique. D'où « charmant » : plein de charme, d'enchantement. « Charmé » : enchanté, ravi par quelque force magique.

Chef : tête.

Cœur : courage vaillance, fierté.

Combien que : bien que, encore que.

Comme : comment.

Consulter : réfléchir, hésiter.
Courage : fierté, cœur.

D

Déçu : trompé.
Déplaisir : chagrin, tristesse.
Descendre : opérer une descente, une attaque.
Diffamer : discréditer, déshonorer.
Discours : paroles.
Douter : se demander, hésiter.

E

Ennui : douleur très forte, grand tourment.
Étonner : ébranler, causer une grande émotion.
Étrange : extraordinaire, épouvantable, terrible.
Excès : quantité extrême, haut degré.

F

Feu : amour, passion brûlante.
Fier : farouche, cruel.

H

Haut : éminent, important.
Heur : bonheur, chance heureuse.

I

Infâme : déshonoré.
Infamie : déshonneur.

Injurieux : injuste.
Intéresser (s') : s'engager, prendre parti.

M

Merveille : prodige.

O

Objet : personne aimée (poét.).

P

Pâmer : s'évanouir.
Passer : dépasser, surpasser.
Poursuite : action de poursuivre en justice (sens juridique).

R

Ravaler : abaisser.
Remettre : calmer, apaiser.

S

Soin : souci, inquiétude.

T

Tant que : jusqu'à ce que (+ subj.).
Transport : agitation, trouble, emportement.
Trop : extrêmement.

LE CID
Tragi-comédie (1637)

LE CID
Tragédie. Variantes

DOSSIER

DU MÊME AUTEUR

Dans la même collection

L'ILLUSION COMIQUE. *Édition présentée et établie par Jean Serroy.*

CINNA. *Édition présentée et établie par Georges Forestier.*

Dans la collection Folio théâtre

HORACE. *Édition présentée et établie par Jean-Pierre Chauveau.*

POLYEUCTE. *Édition présentée et établie par Patrick Dandrey.*

SURÉNA. *Édition présentée et établie par Jean-Pierre Chauveau.*

LE MENTEUR. LA SUITE DU MENTEUR. *Édition présentée et établie par Jean Serroy.*

RODOGUNE. *Édition présentée et établie par Jean Serroy.*

LA PLACE ROYALE. *Édition présentée et établie par Jean Serroy.*